Édition : Julie Roy
Aide à la recherche/rédaction : Marjorie Labrecque
Design graphique : Antoine Goulet
Infographie : Chantal Landry
Révision : Nathalie Ferraris
Correction : Odile Dallaserra

Données de catalogage disponibles auprès de
Bibliothèque et Archives nationales du Québec

DISTRIBUTEURS EXCLUSIFS :

Pour le Canada et les États-Unis :
MESSAGERIES ADP inc.*
Téléphone : 450-640-1237
Internet : www.messageries-adp.com
* filiale du Groupe Sogides inc.,
  filiale de Québecor Média inc.

Pour la France et les autres pays :
INTERFORUM editis
Téléphone : 33 (0) 1 49 59 11 56/91
Service commandes France Métropolitaine
Téléphone : 33 (0) 2 38 32 71 00
Internet : www.interforum.fr
Service commandes Export – DOM-TOM
Internet : www.interforum.fr
Courriel : cdes-export@interforum.fr

Pour la Suisse :
INTERFORUM editis SUISSE
Téléphone : 41 (0) 26 460 80 60
Internet : www.interforumsuisse.ch
Courriel : office@interforumsuisse.ch
Distributeur : OLF S.A.
Commandes :
Téléphone : 41 (0) 26 467 53 33
Internet : www.olf.ch
Courriel : information@olf.ch

Pour la Belgique et le Luxembourg :
INTERFORUM BENELUX S.A.
Téléphone : 32 (0) 10 42 03 20
Internet : www.interforum.be
Courriel : info@interforum.be

02-19

Imprimé au Canada

© 2019, Les Éditions La Semaine,
division du Groupe Sogides inc.,
filiale de Québecor Médiaa inc.
(Montréal, Québec)

Tous droits réservés

Dépôt légal : 2019
Bibliothèque et Archives nationales du Québec

ISBN (version papier) 978-2-89703-483-2
ISBN (version numérique) 978-2-89703-484-9

Gouvernement du Québec – Programme de crédit
d'impôt pour l'édition de livres – Gestion SODEC –
www.sodec.gouv.qc.ca

L'Éditeur bénéficie du soutien de la Société de
développement des entreprises culturelles du
Québec pour son programme d'édition.

 Conseil des Arts   Canada Council
du Canada   for the Arts

Nous remercions le Conseil des Arts du Canada de
l'aide accordée à notre programme de publication.

Financé par le gouvernement du Canada
Funded by the Government of Canada   Canadä

Nous reconnaissons l'aide financière du
gouvernement du Canada par l'entremise du Fonds
du livre du Canada pour nos activités d'édition.

HUBERT CORMIER

Nutritionniste et docteur en nutrition

TOUT EST PERMIS

Positiver son alimentation,
se motiver et passer à l'action !

ÉDITIONS
LASEMAINE

Pour commencer, vous avez besoin de motivation.

Pour continuer, vous avez besoin de créer une habitude.

*Hubert Cormier,
docteur en nutrition*

OUIAQ

(petite sœur de la FAQ)

La OuiAQ est la petite sœur de la FAQ (foire
aux questions), à la seule différence que la
réponse est toujours « oui ! ». Cette idée folle
et drôlement géniale provient d'une affiche
apposée sur la porte d'une station-service aux
États-Unis où les gens s'arrêtaient constamment
pour poser des questions au commis : « Puis-je
utiliser les toilettes ? », « Est-ce que je suis sur
la bonne route pour me rendre à XYZ ? »,
« Est-ce que je peux payer comptant ? », etc.
Tanné de devoir toujours répondre par l'affirmative
aux nombreux passants, il a créé cette OuiAQ.
Comme je reçois des centaines de questions à
propos de la bouffe toutes les semaines sur mes
réseaux sociaux, j'ai décidé, moi aussi, de
partager avec vous ma propre OuiAQ !

OUI TOUT EST PERMIS

Ai-je le droit
de manger
de la pizza ?

Tous les aliments
peuvent-ils être
consommés avec
modération, sans
exception ?

Est-ce que je peux
prendre
des collations ?
Même en soirée ?

Est-ce que je peux
encore manger du
pain, des pâtes et
des pommes
de terre ?

Je peux
boire du vin,
n'est-ce pas ?

Apparemment, les
avocats, c'est gras.
Est-ce que je peux
en consommer tout
de même ?

Puis-je manger
au restaurant ?

J'aime vraiment
mieux le beurre que
la margarine, c'est
correct ?

Si j'ai bien compris,
je peux prendre du
dessert ?

Et du fromage
aussi ?

Est-ce que je peux
me prendre une
deuxième portion à
l'occasion si j'aime
vraiment ce qu'on
me sert ?

Mon plaisir
coupable, c'est de
savourer un petit
carré de chocolat.
Ai-je le droit d'en
manger ?

Introduction
L'alimentation positive, vous connaissez?

MOI NON PLUS, JE NE CONNAISSAIS PAS.

C'est un concept totalement nouveau que j'avais envie de découvrir et d'explorer afin que nous puissions tous en bénéficier. Ça fait déjà plusieurs années que je pensais écrire un livre sur ce sujet, car j'avais le sentiment que nous nous étions perdus dans cet univers inondé de nouvelles – ou de *fake news* – qui font sans cesse les gros titres en nutrition. Un jour, les œufs sont bons et le lendemain, on les démonise – peut-être à tort ou peut-être avec raison, car même les scientifiques ne le savent plus...

Dans cet ouvrage, je vous présente ma vision de l'alimentation positive. La prémisse est claire : on chasse le négatif et on réapprend à parler positivement de l'alimentation avant de poser des actions concrètes qui, ultimement, amélioreront sa relation avec la nourriture. On voit le verre à moitié plein, et non pas à moitié vide ! Mon but est de travailler à partir des forces de chacun et non d'imposer une diète ou une vision fermée de la nutrition en implantant un mode d'alimentation totalement différent de ce que vous connaissez. Je veux qu'on s'intéresse à la bouffe elle-même plutôt qu'aux diètes.

Et si manger était simple ? Était positif ? Était motivant ? Passerions-nous à l'action plus facilement en choisissant des options qui nous conviennent, peu importe ce qu'en disent la science, la belle-sœur, le pseudo-expert, les médias, ou même moi, un nutritionniste avec plus de 10 années d'études derrière la cravate ?

Dans ce livre, vous ne trouverez pas de quantités, de nombre de portions, de calories, de valeurs nutritives, mais bien des outils spécifiquement conçus pour réfléchir, pour positiver son alimentation et pour passer à l'action. Bien se nourrir ne doit jamais être vu comme une prescription. Même si, pour plusieurs, la notion de bien manger doit nécessairement passer par un mode quantitatif, essayons de rendre le tout qualitatif.

Oui, tout est permis – la phrase que j'ai probablement dite le plus souvent au cours de mes 10 années en tant que nutritionniste –, mais ce n'est pas nécessairement un feu vert, un go, pour manger tout ce que l'on veut. C'est plutôt une invitation à inclure des notions de plaisir, de laisser-aller, de folie, de créativité et de positivité dans sa nutrition actuelle. Alors, encore une fois, *Oui, tout est permis*, que ce soit de la pizza, une salade-repas ou une barre de chocolat.

L'alimentation positive ne nie surtout pas l'adversité. N'allez pas penser qu'il s'agit d'un livre bidon de psychologie à deux cennes qui fait vivre de la culpabilité aux lecteurs se sentant responsables de leurs malheurs. Et il ne suffit pas de penser positivement pour que de bonnes choses nous arrivent ; ce serait très réducteur. On doit mettre les bouchées doubles, désapprendre pour mieux apprendre, se motiver, explorer, découvrir, persister et peut-être parfois abandonner – quelque temps – pour mieux revenir.

Chapitre I
Pour mieux se connaître

Tout d'abord, avant de commencer quoi que ce soit, je vous invite à remplir ce petit questionnaire comportant 7 questions et qui évaluera votre motivation à manger sainement. Faites cet exercice au début de votre lecture et revenez-y dans quelques semaines ou mois pour répondre à nouveau à ces questions de manière à voir si votre niveau de motivation a changé. **Additionnez ensuite tous les résultats. Pour chaque énoncé, encerclez le chiffre qui correspond le mieux à votre situation.**

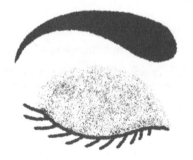
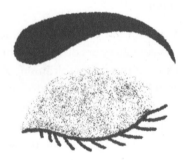

TABLEAU 1
SCORE DE MOTIVATION À MANGER SAINEMENT

C'EST IMPORTANT POUR MOI QUE LES ALIMENTS QUE JE CONSOMME...
... CONTIENNENT DES VITAMINES ET DES MINÉRAUX.   Pas du tout 1 2 3 4 5 6 7 Toujours
... ME GARDENT EN SANTÉ.   Pas du tout 1 2 3 4 5 6 7 Toujours
... SOIENT NUTRITIFS.   Pas du tout 1 2 3 4 5 6 7 Toujours
... M'AIDENT À CONTRÔLER MON POIDS.   Pas du tout 1 2 3 4 5 6 7 Toujours
J'OPTE TOUJOURS POUR UNE ALIMENTATION DITE « SANTÉ » ET ÉQUILIBRÉE.   Pas du tout 1 2 3 4 5 6 7 Toujours
LE CARACTÈRE SANTÉ D'UN ALIMENT A UN IMPACT SUR MES CHOIX.   Pas du tout 1 2 3 4 5 6 7 Toujours
JE ME SOUCIE DAVANTAGE DU CARACTÈRE SANTÉ DES ALIMENTS QUE DE MES GOÛTS.   Pas du tout 1 2 3 4 5 6 7 Toujours
TOTAL

Tiré et adapté librement de : Naughton, P., McCarthy, S. N., & McCarthy, M. B. (2015). « The creation of a healthy eating motivation score and its association with food choice and physical activity in a cross sectional sample of Irish adults. » *International Journal of Behavioral Nutrition and Physical Activity*, vol. 12, n° 1, p. 74.

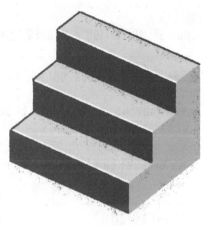

ANALYSE DES RÉSULTATS

Additionnez toutes vos réponses et interprétez votre résultat en fonction de votre score final :

‹ 14	aucune motivation
ENTRE 14 ET 35	peu motivé
ENTRE 36 ET 41	moyennement motivé
› 42	extrêmement motivé

Et puis? Êtes-vous peu, moyennement ou extrêmement motivé?

Des facteurs sociodémographiques permettent d'expliquer votre résultat. En effet, les chercheurs ont observé qu'une majorité d'hommes figure dans le groupe des « peu motivés à manger sainement » alors que le fait d'être une femme est déjà signe d'un niveau de motivation supérieur. Les femmes seraient plus conscientes de leur santé quand vient le temps de prendre des décisions relativement à leur alimentation et elles sont plus aptes à évaluer positivement les bénéfices de manger sainement. De plus, selon les chercheurs, l'âge joue en la défaveur des plus jeunes, qui auraient majoritairement un niveau de motivation plus faible. À partir du groupe des 36-50 ans, on voit progressivement un pourcentage plus élevé de gens motivés. En vieillissant, on mûrit, et parfois l'apparition précoce de problèmes de santé, souvent reliés à une mauvaise alimentation, constitue un facteur qui agit comme un véritable « motivateur » en soi.

En comparaison
des 18-35 ans,
les 65 ans et +
ont 6 fois plus
de chances d'avoir
une motivation
élevée à manger
sainement.

On n'y échappe pas, le fait d'être célibataire est majoritairement associé à une faible motivation, alors qu'être en couple aiderait fortement à rester motivé. Le fait de pouvoir compter sur l'autre, de sentir son appui, de montrer l'exemple ou encore de vouloir rester en bonne forme physique (et avoir une belle apparence dans le but de plaire à son partenaire) sont des facteurs qui pourraient expliquer les différences avec les célibataires. Cela ne veut pas du tout dire que les célibataires mangent de la pizza congelée et de la crème glacée tous les soirs ! Et puis, même si c'était la vérité, *who cares* ? Cela ne fait que prouver que le soutien social est primordial pour avoir une motivation du tonnerre.

QUAND ON SE COMPARE...

Amusons-nous avec les stéréotypes ! En répondant aux questions ci-dessous, vous serez en mesure de comparer votre motivation réelle (le résultat que vous avez obtenu au tableau 1 de la page 13) et votre niveau de motivation attendu selon les standards de la société.

TABLEAU 2
SCORE DE MOTIVATION SELON LES STANDARDS DE LA SOCIÉTÉ

Votre sexe	Homme	Femme
Votre âge	18-35 ans	36-50 ans
	51-64 ans	65 ans et +

	Professionnel de gestion/technique
Votre type d'emploi	Poste qualifié et/ou non manuel (nécessitant une formation professionnelle, par exemple)
	Poste semi-qualifié et non qualifié (nécessitant une formation courte ou une certaine expérience)

Votre état civil	Célibataire	En couple/ marié(e)	Veuf (veuve)/ divorcé(e)

Votre dernier niveau de scolarité atteint	Primaire	Secondaire
	Collégial	Universitaire

Avez-vous une préférence pour les aliments riches en gras?	Oui	Non

Aimez-vous les aliments plaisir?	Oui	Non

Pratiquez-vous plus de 120 minutes (2 heures) d'activité physique par semaine?	Oui	Non

Combien d'heures par semaine passez-vous devant un écran?	< 20 h/semaine
	> 20 h/semaine

Quelle est votre consommation quotidienne de fruits?	2 et moins/jour
	3/jour
	4 et plus/jour

INTERPRÉTATION

Score entre 10 et 14 : motivation élevée
Score entre 6 et 9 : motivation moyenne
Score < 6 : motivation faible

	X 2 =	
	X 1 =	
	X 0 =	
	TOTAL	

Votre résultat est-il le même dans les deux questionnaires ? Si oui, tant mieux ! C'est que votre niveau de motivation à manger sainement correspond exactement aux attentes de la société pour des personnes qui ont le même profil que vous. Vous êtes sur votre X. Rappelez-vous qu'il y a toujours place à l'amélioration et que peu importe la catégorie dans laquelle vous figurez, nous allons travailler à partir de vos forces afin d'augmenter encore plus votre niveau de motivation.

Si toutefois les deux résultats diffèrent, cela peut tout simplement vouloir dire que vous avez un niveau de motivation supérieur ou inférieur aux attentes. Si votre niveau de motivation réel surpasse celui attendu, je vous dis bravo et on continue ! Vous êtes en bonne position pour accomplir de belles choses qui, à terme, garantiront une relation saine avec l'alimentation et favoriseront une conjoncture « santé » vous permettant de profiter pleinement de la vie. À l'inverse, ne soyez surtout pas déçu si votre niveau de motivation réel est inférieur au niveau espéré. Vous avez déjà plus de motivation que tous ceux et celles qui ne sont pas en train de lire ce livre et de mettre en pratique ses concepts.

Rappelez-vous aussi que ces tests sont amusants, récréatifs et basés sur certains stéréotypes – mais comme c'est toujours intéressant de savoir d'où on part, je trouve que ces résultats mettent la table pour mieux diriger ses actions et pour mieux déterminer où on va.

Au-delà de tout ça, considérez-vous que votre motivation n'est pas un facteur important pour adopter de saines habitudes alimentaires ? Vous souffrez peut-être d'un biais d'optimisme !

QU'EST-CE QUE LE BIAIS D'OPTIMISME ?

Le biais d'optimisme (également connu sous le nom d'**optimisme irréaliste** ou **comparatif**) est un biais cognitif qui amène une personne à croire qu'elle est moins exposée à un évènement négatif que d'autres. Au Québec, on pourrait se référer à l'expression « Ça n'arrive qu'aux autres ». **Mais attention ! Ça n'arrive qu'aux autres, jusqu'au jour où les autres, c'est vous !** On est en présence d'un biais d'optimisme quand, par exemple, quelqu'un qui a une faible motivation à manger sainement et qui pense déjà bien s'alimenter, considérant qu'il n'a pas de surplus de poids évident – ou qui l'attribue à tort à un mode de vie sain (le poids n'est qu'un seul facteur parmi une myriade d'autres qui mènent à l'apparition de problèmes de santé) –, croit être à l'abri de souffrir de maladies diverses.

C'est pourquoi les professionnels de la santé, dont les nutritionnistes, réitèrent fréquemment leurs messages de modération – oui, je le sais, vous êtes tellement tanné ! Dans le milieu, on parle souvent des nutritionnistes/diététistes qui portent ce message et n'y dérogent pas comme de véritables *diététeux* – et essaient de communiquer les conséquences et les risques de faire des choix malsains.

Et ce n'est pas dans le but de culpabiliser qui que ce soit, car qui dit culpabilité, dit coupable et on ne devrait jamais avoir à se sentir coupable de quoi que ce soit en lien avec l'alimentation. La culpabilité naît lorsque nos décisions ou nos choix par rapport à notre alimentation entrent en conflit avec deux buts complètement opposés : le but hédonique, soit la recherche de plaisir à court terme, et le but utilitaire de la préservation et de l'amélioration de la santé à long terme. Même le verbe « se déculpabiliser » est négatif, car il sous-tend qu'il y avait une situation culpabilisante, comme manger un format familial de maïs soufflé au cinéma, alors qu'on ne devrait pas du tout le voir ainsi. Certes, manger un format jumbo de popcorn n'est pas la meilleure idée en soi, mais si c'est lors de votre seule sortie au cinéma de l'année, que vous le partagez avec vos enfants, que vous ne le finissez pas – je sais, c'est dur ! – et que vous l'avez acheté pour profiter d'une promotion, quelle qu'elle soit, c'est O.K. Ça n'arrive pas tous les jours. C'est permis. Parfois, on ne parvient tout simplement pas à expliquer ses choix et/ou ses envies. À cet instant, le mieux est de les assumer et d'accepter de se faire plaisir.

Le biais d'optimisme est assez commun et transcende généralement le sexe, la nationalité ainsi que l'âge. Il est très difficile de s'en débarrasser. Sans l'éliminer complètement, les chercheurs croient que certains facteurs tels que la proximité pourraient réduire l'écart du biais d'optimisme entre un individu et son groupe de risque cible. Par exemple, si un membre de sa famille, un ami proche ou un collègue de travail éprouve des difficultés à l'égard de sa santé, néglige certains aspects de son alimentation, est atteint d'une problématique quelconque ou vit une relation amour/haine avec son poids, on se sentira peu interpellé. « Bah… Ça n'arrive qu'aux autres. » Certes, mais quand les autres sont ton/ta conjoint/e ou tes enfants, ça fesse. Quand les autres, c'est toi, c'est la fin du monde. Quand les autres, c'est la petite cousine du beau-frère de la voisine d'à côté, on est saisi par la nouvelle, mais on passe rapidement à autre chose. L'important ici est de prendre du temps pour SOI, d'éviter de nier, d'être attentif aux petits signes que la vie nous envoie afin de saisir les occasions d'effectuer les changements qui nous sont bénéfiques.

La motivation à manger sainement est fortement associée à des habitudes de vie saines. Les gens les plus motivés à mieux s'alimenter ont d'emblée de meilleurs profils alimentaires (variés et équilibrés), font plus d'exercice et regardent moins la télévision en comparaison des gens plus ou moins motivés. De plus, en présence d'une motivation élevée à bien manger, les chercheurs ont démontré que la consommation de fruits et de légumes est supérieure pour la majorité, alors que pour certains, la consommation s'avère plus faible et même en deçà des recommandations. Comme quoi, rien n'est parfait, même chez les plus motivés !

Bref, le succès pour un changement de comportement réussi nécessite des modifications dans les attitudes et dans la motivation. Plus que jamais, il est important d'implanter des stratégies qui motiveront les gens à manger équilibré – et à positiver leur alimentation – en abordant des problèmes de contrôle et d'autorégulation ou en s'y attaquant.

QUIZ « QUEL TYPE DE MANGEUR ÊTES-VOUS ? »

Cochez la réponse qui vous définit le mieux et découvrez
quelle relation vous entretenez avec l'alimentation.

Le plus souvent, à l'heure de la collation, je choisis un aliment...

... que j'aime △
... que je connais/qui m'est familier ♥
... qui me donnera de l'énergie ◊
... qui est faible en calories ●
... qui me fait paraître bien devant les autres □

Au moment de faire le menu de la semaine, je choisis des aliments...

... parce que mon (ma) conjoint(e) croit que c'est bon pour moi □
... parce que c'est facile à digérer ◊
... parce que c'est en rabais ♥
... parce que c'est rapide à préparer →
... parce que ça me procure du plaisir △

À l'épicerie, j'achète les produits...

... parce que c'est la saison pour en manger →
... parce que j'ai reconnu le produit d'une annonce à la télévision ♥
... parce que c'est tendance □
... pour me mettre de bonne humeur △
... parce que c'est biologique ◊

Dans un potluck entre amis, je goûte les plats...

... parce que c'est santé ◊
... parce que c'est plaisant à manger en groupe △
... parce que ce serait impoli de ne pas le faire □
... parce que je suis habitué(e) de manger ça →
... parce que c'est bien présenté ♥

Je choisis d'ajouter du brocoli au souper...

... parce que j'ai faim pour cela △
... parce que c'est faible en gras ♥
... parce que j'en mange normalement →
... parce que c'est bon pour moi ◊
... parce que je dois en manger □

Je décide d'essayer un nouvel aliment...

... parce qu'il n'est pas dispendieux ♥

... pour combler mes besoins en nutriments, en vitamines et en minéraux ◊

... pour me distraire △

... parce qu'il est facile à préparer →

... pour varier mon alimentation □

Il est midi, je dîne...

... parce que mon entourage mange (famille, amis, collègues) □

... parce que c'est plaisant de manger en groupe △

... parce que j'ai déjà payé pour mes repas ou parce que j'ai apporté un lunch ♥

... parce que c'est ma routine →

... pour satisfaire ma faim ◊

Au moment de commander au restaurant pour un brunch, je choisis un plat...

... parce que j'ai grandi en mangeant cela →

... parce que c'est facile à digérer ◊

... parce que c'est un bon rapport qualité-prix ♥

... parce que ça me procure du plaisir △

... parce que mon docteur/nutritionniste m'a dit que je devrais en manger □

Il fait chaud, je m'achète une boisson glacée...

... parce que je suis habitué(e) de boire ça →

... parce que ça me fait paraître bien devant les autres □

... parce que c'est naturel ◊

... parce que ça semble délicieux △

... parce que j'ai reconnu le produit d'une annonce à la télévision ♥

Avant de dormir, j'évite de manger...

... parce que je désire rester en forme ◊

... parce que c'est une habitude que j'ai acquise →

... parce que je me sens stressé(e) à l'idée de prendre du poids ou de ne pas faire de bons choix △

... parce que je veux éviter de décevoir quelqu'un □

... parce que j'ai un surplus de poids ♥

LA CLASSIFICATION DES MANGEURS

Si vous avez une majorité de : □
L'INFLUENCÉ

L'influencé est un mangeur qui accorde une grande importance à l'opinion des autres et qui fait des choix alimentaires dans le but de plaire à son entourage, de mieux paraître au sein d'un groupe ou de se conformer au moule. En effet, il choisit des aliments qui, selon lui, amélioreront l'image qu'il projette au monde. Pour positiver son alimentation, l'influencé doit apprendre à moins se soucier de l'opinion d'autrui et à forger sa propre opinion.

Si vous avez une majorité de : ◊
LE CONNECTÉ À SON CORPS

La priorité du connecté à son corps est de s'écouter, de manger des aliments qui sont bons pour lui et qui l'aideront à être en meilleure santé. Il mange lorsqu'il a faim et arrête lorsqu'il n'a plus faim. D'ailleurs, il n'aime pas déranger sa digestion avec des aliments transformés. Il accorde également une grande importance à la provenance des aliments ainsi qu'à leur composition, dans le but de toujours s'offrir le meilleur. Le connecté à son corps ne doit pas juger ceux qui n'adoptent pas le même patron d'alimentation que lui. Pour positiver son alimentation, il cherchera à vaincre sa petite voix intérieure qui le pousse parfois à ignorer certains aliments qu'il considère comme étant moins bons pour sa santé. Cette petite voix constitue une forme de restriction cognitive qui peut mener à l'apparition de tendances souvent associées à des troubles alimentaires. Il convient donc de la faire taire.

Si vous avez une majorité de : ♥
LE RÉFLÉCHI

Le réfléchi va au-delà de l'aliment et songe à tout ce qui entoure celui-ci. Par exemple, il réfléchit à l'impact de son alimentation sur son image, sur son poids, sur l'environnement, etc. Aussi, il pense au prix d'un aliment avant de l'acheter, car il est conscient des conséquences financières de ses choix alimentaires. Il est grandement influencé par l'apparence d'un produit et est tenté d'acheter de beaux aliments ou ceux offerts dans un bel emballage. Pour positiver son alimentation, le réfléchi se tournera vers les ressources nécessaires qui l'aideront à faire de meilleurs choix. Il consultera les circulaires, les articles qui pourraient être publiés dans une revue du genre *Protégez-vous*, se fiera aux opinions des experts, etc. Le réfléchi aime aller au fond des choses et être le plus renseigné possible avant d'effectuer ses achats. Il est tout le contraire d'une personne impulsive.

Si vous avez une majorité de : △
L'ÉMOTIONNEL

Ce type de mangeur a une relation amour/haine avec la nourriture. Ses choix alimentaires sont souvent basés sur ses émotions et sous l'impulsion du moment. En effet, il mange pour le plaisir, parce qu'il affectionne certains aliments ou parce qu'ils le font se sentir bien. Toutefois, lorsque l'émotionnel est déprimé, son humeur influence aussi ses choix alimentaires. Finalement, il apprécie les évènements sociaux entourant la nourriture. Le mangeur émotionnel n'a pas de ligne conductrice stricte en regard de son alimentation, ce qui cause parfois une grande fluctuation des apports alimentaires et du poids. Ce type est plus à risque de développer des compulsions et des traits associés à certains troubles alimentaires tels que la boulimie ou l'hyperphagie boulimique. Pour positiver son alimentation, le mangeur émotionnel évitera les situations problématiques ou les éléments déclencheurs qui pourraient être à l'origine d'une dérive alimentaire. Il aimera s'entourer et cherchera l'atteinte d'une certaine forme de stabilité.

Si vous avez une majorité de : →
LE ROUTINIER

Le routinier est bien dans ses pantoufles et ne déroge pas trop à ses habitudes alimentaires. Il achète les mêmes produits encore et encore, parce qu'ils sont pratiques, faciles à préparer ou à se procurer. Il aime respecter les traditions de son enfance en se nourrissant de la même façon que ses parents l'ont nourri ou en reproduisant les mêmes recettes pour des fêtes spéciales. Pour positiver son alimentation, le routinier pourrait trouver des variantes à ses recettes traditionnelles afin de bonifier et de varier graduellement son alimentation.

Chapitre II
Le langage réactif *vs* le langage proactif

Positiver notre alimentation implique des changements au niveau de notre vision et de tout ce qui nous entoure. Ainsi, la perception de contrôle devant ce qui nous arrive, la capacité à gérer les problèmes de front, la responsabilisation et la gestion des embûches ou des difficultés font partie des défis à relever chaque jour.

Comme l'analogie du verre d'eau à moitié plein – ou à moitié vide –, notre discours peut avoir deux facettes : l'une axée sur le positivisme et l'autre empreinte de négativisme. Soit vous regardez le verre d'eau à moitié vide, c'est-à-dire que vous vous attardez aux difficultés et aux mauvaises nouvelles, bref aux choses négatives, soit vous portez une attention particulière sur le bon, le bien et le beau – le verre à moitié plein.

Considérons donc les énoncés suivants respectivement aux deux attitudes – optimisme et pessimisme – et voyons comment tout n'est qu'une question de langage et de perception.

« CE VERRE EST À MOITIÉ PLEIN » *VS* « CE VERRE EST À MOITIÉ VIDE »

Tout d'abord, la seule différence entre ces deux affirmations provient de leurs prédicats – soit ce qui est affirmé à propos du verre : qu'il est à moitié plein ou à moitié vide. C'est donc le résultat de deux verbes d'action : remplir et vider. En fait, il y a une action puisque les verres ne deviennent pas à moitié pleins ou à moitié vides seuls ! Donc on suppose une action à venir, un geste. Si le verre est à moitié plein, on suppose que quelqu'un est en train de le remplir. On ne peut donc pas dire que le verre est à moitié plein si on est en train de le vider. Dans le cas du verre à moitié vide, l'énoncé est complètement naturel si l'on comprend bien que l'on est en train de vider le verre. Par contre, il prend un sens complètement bizarre si nous sommes en train de le remplir...

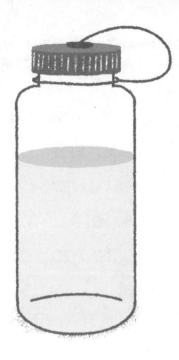

En disant qu'un verre est à moitié vide, nous affirmons aussi que ce même verre est à moitié plein : on ne peut pas avoir un verre à moitié vide sans qu'il soit aussi à moitié plein. Tout est une question de perception, mais cette dernière peut faire la différence au quotidien. S'entourer de positif passe nécessairement par positiver son langage et son discours.

Avez-vous un discours réactif ou proactif ? Comment le fait de positiver notre discours affecte-t-il nos habitudes, notre humeur, nos actions et... notre alimentation ?

LE LANGAGE RÉACTIF

Selon le dictionnaire *Le Petit Robert de la langue française*, être réactif consiste à « exercer une réaction, réagir ». Le langage réactif apparaît donc en réponse à une situation ou à un problème ; il s'agit de réagir après un stimulus plutôt que d'agir en prévention. Un discours réactif nous enlève la responsabilité de ce qui nous arrive et la met sur une source externe : une personne, un évènement, un manque de temps, etc. Il suggère que l'on est une victime sans emprise sur la situation, tel un témoin de sa propre vie.

LES PROPOS SUIVANTS DONNENT UN BON APERÇU DE CE QU'EST LE LANGAGE RÉACTIF :

Je ne peux rien y faire.

Ils me rendent fou !

Je n'ai pas le temps.

Je dois faire cela.

Ce n'est pas de ma faute.

Si seulement...

Je dois...

Je ne peux pas...

Ma journée est ruinée/gâchée.

Si seulement le travail n'occupait pas toute ma journée.

Si seulement mon mari comprenait que...

Le discours réactif nous empêche d'avancer puisqu'il met l'accent sur le côté négatif de la situation et ne nous donne pas de moyens de surmonter celle-ci. De plus, il n'y a pas que les expressions qui peuvent être négatives – notamment celles qui sont formées avec « ne pas », « mais », « si », etc. – ; certains mots eux-mêmes ont une connotation négative.

IGNORER LA SATIÉTÉ

DIÈTE

S'EMPÊCHER

INTERDICTION

MANGER SES ÉMOTIONS

RESTRICTION

RÉGIME HYPOCALORIQUE

PRIVATION

SHAPE DE PLAGE

TROP GROS(SE)

– BIKINI BODY

OBSESSION

ÉLIMINER OU

HONTE

SUPPRIMER DES

ALIMENTS

PROSCRIRE

EXCÈS ALIMENTAIRES

FAIBLE EN XYZ

ALIMENTS PERMIS

TRICHER

ALIMENTS INTERDITS

SAUTER DES REPAS

RÉSULTATS IMMÉDIATS

JE NE PEUX PAS MANGER...

MAIGRIR

AFFAMER

AMAIGRISSEMENT

JE DOIS CESSER DE MANGER...

CALCULER SES CALORIES

JE DEVRAIS MANGER...

CALORIES VIDES

COUPER

ÉVITER

LE LANGAGE PROACTIF

Une personne proactive anticipe les attentes et prend l'initiative de l'action. Contrairement à un individu qui adopte un discours réactif, une personne qui utilise un langage proactif agira plutôt en amont d'une situation et prendra sur elle la responsabilité des situations ou des expériences vécues. Elle utilisera des phrases actives et décisionnelles. Rien n'est laissé à la chance. Si quelque chose est fait, ce n'est pas par obligation, mais par choix.

Le langage proactif consiste à ne pas s'apitoyer sur son sort et à ne pas mettre la faute sur autrui. Il s'agit plutôt de prendre en charge des situations auxquelles nous faisons face et d'accepter la responsabilité de ce qui nous arrive. On met de l'avant ce que l'on peut faire et ce que l'on peut être. On ne veut pas laisser la vague nous emporter. Souvent, nous avons un rôle à jouer, nous pouvons avoir une influence sur les situations qui se présentent à nous. Nous voulons prendre notre futur entre nos deux mains et le façonner à notre goût.

La personne qui utilise le langage proactif n'est pas une victime, mais un maître de son futur, un chef de ses choix ou un artiste de ses expériences. Le parleur proactif utilise un discours qui se rapporte aux citations suivantes :

Voyons ce qu'on peut faire.
Choisissons une approche différente.
Je vais faire...
Je suis capable de...
Je choisis de...
Je suis responsable de...
Je ne blâme pas les autres pour mes fautes ou mes difficultés.

LE LANGAGE PROACTIF EN NUTRITION

Faisons maintenant le parallèle avec l'alimentation. Trouvons les situations où nous sommes les plus réactifs et transformons-les en discours proactif afin de positiver notre alimentation. En voici des exemples.

TABLEAU 3
EXEMPLES TIRÉS DE DISCOURS RÉACTIFS ET PROACTIFS

DISCOURS RÉACTIF	DISCOURS PROACTIF
Je n'ai pas le temps de préparer des repas équilibrés.	Je vais trouver des recettes savoureuses et rapides. Ou Je vais préparer certains aliments le dimanche pour arriver à bien manger la semaine.
Je n'y peux rien. Manger sainement, c'est trop cher.	Voyons quelles seraient les options les moins chères pour arriver à manger sainement avec mon budget. Plus de légumineuses? Plus de légumes racines? Profiter des promotions et des rabais?
Si seulement mon mari cuisinait un peu.	Je cuisine et mon mari tond la pelouse et effectue d'autres tâches ménagères. C'est notre arrangement!
Je suis incapable de cuisiner.	Je choisis de me procurer des livres de recettes simples. Ou Je vais demander à ma mère de me montrer… Ou Je vais suivre un cours de cuisine.
Ce n'est pas de ma faute si j'ai pris du poids.	J'admets que je n'ai pas pris soin de moi dernièrement alors j'ai pris du poids.
Si seulement j'avais de l'argent pour m'acheter un vélo.	Je pourrais commencer à marcher, j'ai déjà de bonnes espadrilles. Ou Je n'ai pas d'argent pour m'acheter un vélo, qu'est-ce que je pourrais faire? Cette année, j'investis mes économies dans un vélo.
Je ne peux pas m'empêcher de grignoter.	Je vais trouver de bonnes collations satisfaisantes qui me rassasieront.
Je suis découragé(e): je dois perdre du poids, mais j'ai déjà essayé et j'en suis incapable.	Je veux perdre du poids pour être plus en santé. Mon dernier essai n'a pas fonctionné, alors je vais choisir une nouvelle approche.

DISCOURS RÉACTIF	DISCOURS PROACTIF
Je ne boirai plus de boissons gazeuses.	Lorsque j'aurai le goût d'une boisson gazeuse, je prendrai un verre d'eau pétillante dans laquelle j'ajouterai quelques tranches d'orange. Par la suite, si l'envie est toujours présente, je me servirai un petit verre de boisson gazeuse. Ainsi, ma consommation de boisson gazeuse diminuera peu à peu avec le temps et l'envie d'en prendre se dissipera.
J'élimine toute la viande rouge de mon alimentation. Je deviens végétarienne.	Je suis flexitarien(ne)*, c'est-à-dire que je privilégie une alimentation végétarienne ou végétalienne la plupart du temps, avec, à l'occasion, de la viande, de la volaille et/ou du poisson.
Je ne mangerai plus de gâteau, de chocolat ou de chips.	Quand l'envie de manger du gâteau traversera mes pensées, je satisferai cette envie avec une petite portion. Puis, si j'ai encore faim, je choisirai un fruit que j'adore plutôt qu'un autre morceau de gâteau.

* Ici, on cherche à enlever la notion du « tout ou rien ». Passer d'une consommation de viande modérée à une alimentation végétarienne pourrait causer un sentiment de restriction et des envies, voire des rages, de manger de la viande. Il est possible de faire le changement de façon graduelle pour avoir des transformations plus durables dans le temps, sans engendrer une restriction malsaine. Ainsi, une transition vers une alimentation plus végétale pourrait signifier de trouver des substituts intéressants à la viande dans ses recettes préférées, de substituer la moitié de la viande dans certains plats, de trouver des recettes végétariennes intéressantes, de tester de nouvelles protéines végétariennes, etc. De cette manière, s'il vous arrive toujours, après quelques semaines, de manger un spaghetti à la viande ou du poulet sur le barbecue, vous n'aurez pas la sensation d'être fautif, d'avoir failli à la tâche ou d'avoir tout gâché. Une consommation occasionnelle de viande ne gâchera ni votre santé ni vos efforts pour manger de façon plus saine.

Vous avez été témoin de quelques exemples de discours réactifs changés en discours proactifs. Il est possible de reconnaître en soi ces discours malsains qui sont de véritables boulets aux changements et de les transformer de façon proactive.

Pour positiver son alimentation, il est important de s'arrêter un instant pour faire un retour sur les derniers jours, les dernières semaines ou les derniers mois et de s'attribuer une note personnelle. Par exemple, réfléchissez à votre alimentation d'aujourd'hui. Comment s'est déroulée votre journée ? Avec qui avez-vous partagé vos repas ? Êtes-vous sorti à l'extérieur pour manger ? Avez-vous pris le temps de cuisiner ? Êtes-vous allé à l'épicerie ? Peut-être bien que « toute a mal été », mais voyons ensemble si on ne peut pas en retirer un peu de positif.

Je suis convaincu que l'exercice suivant gonflera votre motivation à bloc. Il vous permettra d'éviter l'autosabotage par manque de motivation. Répondez à mes quelques questions, comme dans l'entretien de la page suivante avec une cliente fictive. Mettez-vous à sa place et allez-y avec vos propres réponses.

Sur une échelle de 1 à 10, où 10 est la perfection, comment qualifieriez-vous votre alimentation d'aujourd'hui ?

Moi, je me mettrais... Hum... 5 ?

Ah oui. Très bon. Mais pourquoi ne pas m'avoir dit 4 ?

Ben, j'ai pris le temps de bien déjeuner ce matin et j'ai apporté des fruits pour la collation de cet avant-midi.

C'est très bien. Je vois que vous êtes une personne organisée.

Oui, c'est vrai que j'aime bien préparer certaines choses.

Intéressant, comme quoi ?

Quand je reviens de l'épicerie, j'ai pris l'habitude de couper mes légumes pour toute la semaine et je divise en portions mes déjeuners à l'avance.

Ce sont vraiment de bonnes stratégies que vous avez développées. Et si on revient à votre alimentation d'aujourd'hui, à quoi ressemblerait un 6 ?

> Hum... Disons que je pourrais prendre tout le temps qui m'est accordé à l'heure du dîner au lieu de manger devant l'ordinateur et répondre à mes courriels.

> Autre chose ?

> Je pourrais aussi impliquer mes enfants dans la préparation du souper.

> Super !
> En plus de les impliquer, vous partagez un temps de qualité en famille tout en leur inculquant de saines habitudes. Par contre, tout ce que vous me décrivez se rapproche beaucoup plus d'un 7 ou d'un 8 que d'un 6. J'aimerais vraiment qu'on précise un 6, sinon vous allez attendre d'atteindre un 7 ou un 8 avant de ressentir de la fierté en lien avec votre alimentation. Ce serait vraiment dommage de vous sous-estimer ainsi et de ne pas apprécier ou remarquer vos progrès.

Dans la mise en situation précédente, j'ai cherché à déclencher quelque chose. Il s'agit là d'une belle introspection et le début d'une prise de conscience. Allons-y avec quelques réflexions supplémentaires :

Qu'est-ce qui vous aiderait à passer de 5 à 6 ?

Dans tout ce que vous avez fait, qu'est-ce que vous pourriez récupérer ou reprendre d'une journée à l'autre et qui vous permettrait de passer de 5 à 6 ?

Vous m'avez décrit tout ce que vous faisiez quand vous étiez à 5. Qu'est-ce que vous vous sentez capable de refaire ?

Quelle serait la plus petite chose qui vous permettrait de passer de 5 à 6 ?

Est-ce que c'est nécessaire de passer à 6 ? Peut-être que, dans les circonstances, c'est déjà beaucoup d'être à 5.

Qu'est-ce qui vous aiderait à consolider votre 5 ?

« RAPPELEZ-VOUS QUE PEU IMPORTE LE CHIFFRE, VOUS AVEZ RÉUSSI À NE PAS ÊTRE PLUS BAS. »

Allons-y avec des exemples supplémentaires qui nous poussent à réfléchir sur notre vie et notre alimentation.

Par exemple, l'une de mes clientes m'a dit qu'elle mangeait mieux lorsqu'elle était plus en forme et qu'elle bougeait plus. Ça allait de soi de mieux manger. Il y avait une cohérence.

Elle s'est alors rendu compte qu'elle préférait les activités à l'extérieur plutôt que de devoir faire du vélo à l'intérieur. Elle y a tellement pris goût qu'elle y va désormais le mercredi et le samedi. Son appréciation de l'activité physique lui vient de la nature, de respirer l'air frais.

Mais qu'est-ce qui vous a incitée à bouger plus ?

J'allais courir sur le mont Royal !

Quand elle bouge plus, elle est fière d'elle et elle mange mieux. C'est une récompense qu'elle donne à son corps dont elle a pris soin.

Voici un autre exemple :

> Quand j'avais une coloc au baccalauréat, je mangeais mieux. On prenait plaisir à préparer des plats entre amies tout en se racontant les aléas de nos vies. En plus de décompresser, on passait du temps de qualité ensemble. Ce n'était pas un effort. Ma perception de la cuisine à cette époque était positive et facile parce qu'elle était partagée autour de rires. On cuisinait beaucoup plus et on avait des portions supplémentaires pour les lunchs des jours à venir. Aujourd'hui, je me sens lâche et j'ai perdu le goût de cuisiner.

> Je vois que pour vous le fait de cuisiner à deux – ou le fait de partager cette tâche avec une personne – est un facteur facilitant. Que pourriez-vous faire pour que ces moments se répliquent ? Pensez-vous à quelqu'un ?

> Ma sœur qui vit tout près pourrait venir une fois de temps en temps cuisiner avec moi.

> Dites-m'en plus. Quand et quel plat aimeriez-vous cuisiner ?

> Nous reproduisons à la perfection la recette de sauce à spaghetti de notre mère. Je crois qu'avec nos activités familiales à toutes les deux, le dimanche matin serait idéal pour une séance de popote entre sœurs.

Chapitre III
Désapprendre pour mieux apprendre

Pour désapprendre et réapprendre de façon plus éclairée, voici une courte liste d'aliments basée sur une valeur de référence fixée à 100 calories, car oui, tous les aliments peuvent avoir 100 calories – tout n'est qu'une question de perception et de quantité. Tous ces aliments font partie intégrante d'une saine alimentation. Il est recommandé de manger de façon quotidienne les aliments qui regorgent de vitamines, de minéraux et de fibres, et de façon occasionnelle ceux qui sont transformés. Faites l'exercice de ne pas utiliser les mots « bon », « vilain », « santé », « interdit » et « mauvais » en lisant la liste !

ATTENTION !
La liste suivante n'est pas du tout là pour vous encourager à compter les calories, mais plutôt pour vous faire prendre conscience de différents concepts reliés à la volumétrie et à la densité énergétique.

Comme la balance énergétique, c'est-à-dire la différence entre l'énergie ingérée et l'énergie dépensée, est responsable de la prise et de la perte de poids, un aliment à lui seul ne peut pas être responsable d'une prise de poids. C'est plutôt l'énergie ingérée en excédent qui en est responsable.

Par contre, certains composants qui se trouvent dans les aliments peuvent avoir des répercussions sur la santé à long terme, même à calories égales. On peut tracer le parallèle avec la voiture et les différentes sortes d'essences : ordinaire, extra ou suprême. En fait, pour garder la tuyauterie et le moteur « en santé », on peut ajuster son type d'essence en conséquence. Pareil chez l'humain.

On va se l'avouer, 1000 calories de poutine (essence ordinaire), c'est moins intéressant que 1000 calories de légumes (essence suprême), même si les deux procurent le même nombre de calories au final et qu'ils permettent de parcourir sensiblement la même distance, à court terme, l'automobile n'aura pas de problème et continuera de rouler – et de très bien rouler –, mais à long terme, les tuyaux peuvent s'encrasser et se corroder. Le mieux est de prendre soin de soi, de s'écouter et de faire des petits check-ups régulièrement. Prenez soin de vous autant que vous prenez soin de votre voiture – hein, les gars ?

TABLEAU 4
100 CALORIES, ÇA REPRÉSENTE QUOI ?

ALIMENT	QUANTITÉ POUR 100 KCAL
Vin rouge	120 ml (4 oz)
Crème glacée à la vanille française	60 ml (¼ tasse)
Pain de blé entier	1 tranche
Carotte	3-4 grosses
Chocolat à 40 % de cacao	20 g ou 2 carrés
Amande	13 unités
Chou-fleur	1 tête
Pomme de grosseur moyenne	1
Laitue romaine	10 tasses (!!!)
Pizza pepperoni-fromage, croûte régulière	¼ de pointe (c'est très calorique et dense en énergie, la pizza !)

Somme toute, tous les aliments peuvent contenir 100 calories. Tous les aliments, autant votre pomme verte que votre crème glacée, ont donc le potentiel de vous faire prendre du poids. Vous n'êtes pas en train de fondre si vous avez mangé une salade pour le dîner et vous n'êtes pas en train d'accumuler de la graisse si vous avez terminé votre souper avec une part de gâteau au chocolat. C'est indéniablement la balance énergétique qui gère la stabilité de votre poids. Écouter ses sentiments de faim et de satiété reste le meilleur moyen d'atteindre cet équilibre énergétique.

ÉMOTIONS *VS* ALIMENTATION

Manger de façon positive implique de comprendre l'effet de vos émotions sur la prise alimentaire. Cette réflexion aide à être conscient des moments de vulnérabilité menant aux excès et à la surconsommation. Cela permet d'avoir un certain recul face au comportement et peut permettre de cibler plus facilement des situations où il est possible d'agir en amont et d'identifier le stimulus – ou le déclencheur – responsable de l'émotion ressentie. Il s'avère nécessaire de discerner ce qui nous pousse à manger et pourquoi. On peut ainsi prévoir des méthodes adéquates afin de gérer ses émotions du mieux qu'on peut. Considérer l'impact des émotions sur la prise alimentaire est primordial pour comprendre d'où vient la faim.

Ainsi, une même émotion, le stress par exemple, n'affectera pas tous les types de mangeurs de la même façon. Par exemple, il a été démontré que le stress entraînerait une augmentation de l'appétit ou de la prise alimentaire chez 30 % des gens et une diminution chez 48 % des gens. Chez moi, le stress me coupe littéralement l'appétit. Je suis quelqu'un qui a l'estomac dans les talons lorsque je me lève le matin. J'ai même hâte de me préparer un bon petit-déjeuner et c'est un moment que j'apprécie grandement. Un pur plaisir et un instant que je m'offre en savourant un bon latté. Par contre, les jours où j'enregistre l'émission matinale *Salut, Bonjour !*, j'ai littéralement des maux de ventre qui m'empêchent de manger en raison du stress !

Les émotions affectent l'alimentation de multiples façons. La motivation à manger, le choix des aliments, la réponse affective générée par les aliments, la mastication, la durée des repas, les quantités ingérées, le métabolisme et la digestion peuvent varier considérablement d'un individu à l'autre en fonction du type de mangeur et de la réponse émotionnelle qui lui est propre.

On trouve trois réponses typiques qui affecteraient la façon de s'alimenter et qui seraient régulées par les émotions :

La réponse émotionnelle
La réponse restrictive
La réponse dite « normale »
(ni émotionnelle ni restrictive)

La réponse émotionnelle

Le mangeur émotionnel a une alimentation influencée par les émotions. Celui-ci tend à manger plus de sucreries, d'aliments salés et d'aliments riches en gras en réponse à un stress émotionnel. Un statut émotionnel négatif entraînerait une augmentation de la consommation de ces aliments sucrés et gras dans le but d'améliorer ou de réguler les émotions.

La réponse restrictive

Le mangeur restrictif a un patron d'alimentation constamment guidé par des pensées et des comportements restrictifs en vue d'engendrer une perte ou un maintien du poids corporel. En réponse à la peur ou à une émotion négative, positive ou même à une distraction, comme écouter un film, ce type de mangeur tend à **manger davantage** même s'il a parfois l'impression de ne pas manger ou de manger très peu.

La réponse dite « normale »

Chez le mangeur « normal », qui n'a ni une tendance vers la restriction ni un patron d'alimentation lié aux émotions de façon persistante, la consommation d'aliments en réaction à des émotions négatives demeure moins évidente. En effet, 43 % des individus appartenant à ce groupe auraient un appétit augmenté, 39 % un appétit diminué et 26 % ne verraient aucun changement en réponse à une émotion négative.

La qualité de l'émotion, c'est-à-dire si celle-ci est plaisante ou non, son intensité et notre niveau de vigilance influenceraient tous nos apports alimentaires.

Pour ce qui est de la valeur de l'émotion, une émotion positive comme la joie augmenterait le plaisir de manger et serait positivement associée à l'ingestion d'aliments avec de bonnes valeurs nutritives. Au contraire, les émotions négatives comme la peur, le stress, la tristesse et la colère augmenteraient l'impulsivité au niveau des apports alimentaires, ce qui favoriserait alors la consommation d'aliments aux valeurs nutritives moins intéressantes pour réguler l'émotion. **Les émotions négatives diminueraient également le plaisir de manger.**

L'intensité d'une émotion influencerait aussi la prise alimentaire. Une émotion très intense diminuerait la prise alimentaire alors qu'une émotion d'intensité faible à modérée encouragerait l'inverse. Un état dépressif ou d'ennui entraînerait une prise alimentaire plus marquée, alors qu'un état de vigilance élevée, une peur ou un stress intense réduiraient les apports. Ces associations se complexifient quand on ajoute le facteur du type de mangeur qui influence également la réponse alimentaire au stress.

Bref, manger sous le coup de l'émotion n'est jamais vraiment une bonne chose, sauf dans le cas d'émotions positives où l'acte alimentaire enrichit les souvenirs et contribue à l'atmosphère. On s'imagine mal une soirée de type vins et fromages sans vin ni fromage !

JE RESSENS CE QUE JE RESSENS. VRAIMENT ?

La pensée positive n'est efficace que si elle s'aligne sur vos vrais sentiments. Si vous vous sentez sincèrement déprimé par votre poids ou par votre alimentation, vous dire que tout va bien créerait une discorde interne. Lorsque vous avez une image négative de vous-même ou de votre alimentation, vous vous privez d'une énergie indispensable. Lorsque vous avez l'impression d'être impuissant ou que vous êtes démotivé, il est facile de sauter votre entraînement quotidien ou de manger un sac de croustilles pour vous réconforter. Cependant, en vous concentrant sur ce que vous ressentez, en reconnaissant ces sentiments et en transformant ces pensées en quelque chose de plus positif, vous pouvez réellement atteindre vos objectifs personnels plus rapidement.

L'astuce consiste à exploiter ces sentiments qui sonnent juste pour vous. Par exemple, tenez un journal quotidien dans lequel vous écrirez vos pensées et vos sentiments négatifs. Si vous sentez que vous manquez de volonté ou ne pouvez tout simplement pas surmonter vos envies, écrivez-le. Lorsque vous reconnaissez les émotions les plus sombres, elles ont souvent tendance à avoir moins de pouvoir et d'emprise sur vous.

Pour vous faciliter la tâche, utilisez le journal réflexif à la page suivante. Si vous n'avez pas envie d'écrire dans le livre, vous trouverez sur mon site, hubertcormier.com ainsi que sur celui des Éditions La Semaine, editions-lasemaine.com, un document imprimable qui reprend la même idée.

JOURNAL ALIMENTAIRE RÉFLEXIF

Chaque fois que vous mangez, prenez un instant pour analyser pourquoi vous mangez un aliment et déterminez quelles étaient vos émotions et vos sensations à ce moment. Aviez-vous réellement faim ? Où étiez-vous ? Que faisiez-vous ? Avec qui étiez-vous ? En prenant l'habitude de faire cette réflexion, vous aurez une meilleure idée de ce qui influence votre alimentation au fil de la journée.

BANQUE D'ÉMOTIONS ET DE SENSATIONS – POUR VOUS INSPIRER

Joyeux	Nerveux	Horrifié
Heureux	Tendu	Rejeté
Satisfait	Craintif	Chagriné
Amusé	Méfiant	Désespéré
Soulagé	Inquiet	Misérable
Fier	Paniqué	Dégoûté
Excité	Hystérique	Frustré
Troublé	Confus	Jaloux
Fâché	Humilié	Euphorique
Outré	Curieux	Affectueux
Mécontent	Intrigué	Secoué
Agressif	Surpris	Incertain
Optimiste	Stupéfait	Abattu
Bougon	Timide	Découragé
Maussade	Insatisfait	Déprimé
Tourmenté	Courageux	Fatigué
Triste	Impuissant	Blessé
Anxieux	Ennuyé	Mélancolique
Seul	Intimidé	Furieux
Malheureux	Honteux	Comblé
Déçu	Effrayé	Libre

TABLEAU 5
MON JOURNAL RÉFLEXIF

	EXEMPLE	VOTRE RÉPONSE
Date	13 juin	
Moment de la journée	collation 11 h	
Ce que j'ai mangé	J'ai mangé un muffin acheté au café du coin.	
Temps consacré à la prise alimentaire	5 minutes, dans l'auto	
Mes émotions AVANT d'avoir mangé	Je me sentais irritable et angoissé(e).	
Mes émotions APRÈS avoir mangé	Je me sentais satisfait(e) et calme.	
Globalement, comment je me sens aujourd'hui	Je me sentais fatigué(e).	
Entourage ou activité	J'étais en compagnie d'un collègue avant une importante réunion.	
Actions futures	Avant une réunion importante, j'utiliserai une application mobile de relaxation pour m'aider à respirer et à mieux gérer mon stress.	

Le journal réflexif est un outil intéressant qui permet notamment d'établir un bilan de votre évolution et des changements déployés au fil du temps. Il permet aussi d'assumer la responsabilité de chacun de vos gestes et/ou de chacune de vos pensées nécessaires à la concrétisation de vos objectifs, tout en vous permettant de développer et de promouvoir votre approche réflexive, votre sens des responsabilités, votre autonomie, votre efficacité et votre engagement. Le mot d'ordre est « REMISE EN QUESTION ». Par exemple, remettez en question la valeur nutritive de ce que vous avez mangé, le temps que vous prenez pour préparer et manger vos repas et/ou vos collations, l'importance que vous accordez à votre alimentation et à votre santé, etc.

Il est important de faire un effort conscient pour transformer vos pensées. Il est peut-être vrai que vous vous sentiez impuissant par rapport à vos fringales ou que vous aviez de la difficulté à rester fidèle à votre alimentation, mais s'il y a des moments où vous êtes capable de rester fort, alors concentrez-vous sur ces derniers et célébrez les triomphes. Peut-être avez-vous mis moins de sucre dans votre café aujourd'hui, peut-être avez-vous dit non à une deuxième pointe de pizza, peut-être êtes-vous sorti marcher après le souper ? Ce sont tous des gestes qui méritent d'être célébrés. Porter une attention au positif vous aidera à vous forger une plus grande estime de soi et vous dotera d'une plus grande motivation pour poursuivre vos efforts dans cette quête de satisfaction alimentaire.

Chapitre IV
L'intelligence émotionnelle

Qu'est-ce que l'intelligence émotionnelle et comment a-t-elle un impact sur la façon dont vous vous nourrissez ? Nous avons vu précédemment que les émotions influençaient nos apports alimentaires, mais il est possible de contourner le tout en ayant une meilleure connaissance de soi. Voici des outils pour devenir un mangeur émotionnellement intelligent !

L'intelligence émotionnelle, quant à elle, se subdivise en trois concepts distincts : la connaissance de soi, l'autocontrôle (maîtrise de soi) et la conscience sociale (empathie). Le niveau d'intelligence émotionnelle d'une personne détermine si elle est équilibrée, si elle cultive des relations saines et si elle répond de façon efficace aux circonstances difficiles.

QU'EST-CE QUE L'INTELLIGENCE ?

Trop élémentaire de vous poser la question ? Ça nous semble être un terme acquis depuis toujours, mais quand vient le temps de le définir, les mots nous manquent. Le dictionnaire *Larousse* définit donc l'intelligence comme suit :

« Qualité de quelqu'un qui manifeste dans un domaine donné un souci de comprendre, de réfléchir, de connaître et qui adapte facilement son comportement à ces finalités. » Selon cette même source, il s'agirait également d'une « aptitude d'un être humain à s'adapter à une situation, à choisir des moyens d'action en fonction des circonstances ». Bref, on voit bien que, sans intelligence, on aurait du mal à parvenir à positiver son alimentation, à faire face aux imprévus et aux échecs et à s'adapter aux possibilités.

TABLEAU 6
QU'EST-CE QUE L'INTELLIGENCE ÉMOTIONNELLE ?

CONNAISSANCE DE SOI	AUTOCONTRÔLE/ MAÎTRISE DE SOI	CONSCIENCE SOCIALE/ EMPATHIE
Capacité de reconnaître ses propres émotions	Capacité de gérer ses émotions	Capacité de lire les émotions chez les autres

DEVENIR UN MANGEUR ÉMOTIONNELLEMENT INTELLIGENT

La **connaissance de soi** est notre capacité à reconnaître nos émotions et nos sensations ainsi qu'à les comprendre et à y répondre de façon adéquate. En nutrition, nous pourrions nous référer à la reconnaissance des signaux de faim et de satiété ou à la tolérance individuelle par rapport à la consommation de certains aliments. Personne ne vous connaît mieux que vous. Ainsi, vous savez que si vous buvez du café tard en après-midi, il se peut que vous n'arriviez pas à fermer l'œil la nuit venue ou que si vous mangez de l'ail, votre bedon sera aussi distendu que celui d'une femme enceinte ! C'est ça, la connaissance de soi. Nos corps sont de petites machines ingénieusement confectionnées qui nous indiquent leurs besoins. Écouter les signaux qu'envoie notre corps nous indique avec précision quand et comment satisfaire nos besoins pour maximiser notre énergie.

Ne vous empêchez pas de manger même « s'il n'est pas l'heure ». Le meilleur moment pour manger est celui que votre corps choisit.

À force de faire taire ce signal en mangeant plus qu'à sa faim ou en ne mangeant pas lorsqu'on est affamé, on perd la capacité de l'écouter, mais de façon réversible, heureusement ! Nombreuses sont les personnes qui m'ont un jour rapporté ne plus ressentir la faim et ne plus reconnaître le moment où elles ont atteint la satiété après un repas.

Réapprendre à écouter ses signaux est un exercice qui demande une prise de conscience de ses sensations internes et qui requiert de la pratique.

Mangez pendant 2 minutes, puis arrêtez 2 minutes. S'il le faut, utilisez un chronomètre. Recommencez le cycle et essayez de déceler la moindre différence entre les périodes. Ressentez-vous quelque chose au niveau de l'estomac ? Des intestins ? Avez-vous encore faim ? Faites le cycle durant tout le repas. Peut-être que vous arrêterez avant d'avoir fini votre assiette ou, au contraire, peut-être irez-vous vous servir de nouveau. Évaluez vos apports habituels et comparez-les à ceux-ci pour établir si vous avez mangé plus ou moins qu'à l'habitude.

Savoir dissocier la faim de la soif est un autre défi dans certaines situations. Cela semble facile à première vue, mais souvent on mêle ces deux sensations. Par exemple, après un entraînement physique, certains confondent la faim et la soif et apaisent le mauvais signal. Or, la majorité du temps, l'eau suffira ! Les scientifiques ont montré que la déshydratation a un impact sur la performance physique et mentale. Même une légère déshydratation, soit une perte de 1 à 2 % seulement du poids corporel, peut influer sur les niveaux de performance. En plus d'entraîner la soif, la déshydratation peut provoquer des maux de tête, diminuer la vigilance, avoir un impact sur la concentration et la mémoire, et réduire l'endurance. Et il ne faut pas attendre d'avoir soif pour s'hydrater, car cela indique déjà le début de la déshydratation. C'est aussi ça, la connaissance de soi !

Manger pour satisfaire sa faim seulement et non pour combler d'autres prétextes cachés demande une certaine introspection.

Soyez l'inspecteur de votre propre vie dans les prochains jours, mois, années et enquêtez sur les motifs qui vous poussent à manger ou à être négatif par rapport à votre alimentation.

Une fois les émotions et les sensations corporelles reconnues, c'est au tour de la **maîtrise de soi** d'entrer en scène. Il s'agit de la capacité à gérer ses émotions. Il est tout à fait normal de passer par différentes émotions au cours d'une même journée, mais aussi au cours d'une vie. Les reconnaître et en trouver la source permet de régler plus facilement le problème. La solitude en soirée ne partira certainement pas si vous grignotez un bol de croustilles ! Il est tout à fait normal de ressentir de la solitude, mais est-ce que cette situation vous préoccupe ? S'inscrire à des cours de danse, à un groupe de marche ou de lecture, à un club de tricot, aller voir des conférences, sortir boire un café permet de contrecarrer le sentiment de solitude... et le bol de croustilles qui vient avec ! Cela transformera également une expérience négative en une expérience positive. Ne soyez pas l'adversaire de votre corps. Arrêtez de vous battre et faites plutôt équipe avec lui.

Prendre le bol de croustilles, dans cet exemple, ne résoudra en rien le fait d'être seul, mais le fait d'être seul peut vous pousser à manger des croustilles... On appelle communément ce problème « manger ses émotions ». Il s'agit de manger à un moment où vous n'avez pas faim et cela contribue à la prise de poids en donnant à votre corps de l'énergie dont il n'a pas besoin. Par contre, soyez rassuré, il est possible que vous ayez faim en soirée ! À ce moment, votre bol de croustilles résoudra votre besoin réel.

Si vous n'êtes pas capable de répondre à la question « Pourquoi je mange ? », arrêtez tout ! Déposez votre bol de chips et regardez-le quelques secondes, le temps de trouver une réponse. Si votre choix est pleinement assumé et pour le plaisir, c'est parfait. Dans le chapitre XI, « Rapatrier les aliments plaisir dans son assiette », vous trouverez plusieurs stratégies pour optimiser le choix de vos collations.

Le troisième concept de l'intelligence émotionnelle est la **conscience sociale** ou l'**empathie**. Celle-ci nous permet de lire les émotions chez les autres et de comprendre leur situation. Les gens qui ont une conscience sociale élevée ont une excellente capacité de gérer leurs relations puisqu'ils arrivent à se mettre à la place d'autrui et à comprendre leurs émotions et leurs comportements. Cette facette de l'intelligence émotionnelle est aussi importante que les deux précédentes, mais on la relie moins facilement aux comportements alimentaires.

L'empathie servira aussi à déceler des situations qui pourraient devenir problématiques chez certaines personnes. Si vous percevez des difficultés chez un proche par rapport à sa relation avec l'alimentation, aidez-le à la positiver en l'accompagnant dans ses démarches. Le soutien social est l'un des facilitateurs les plus puissants dans l'obtention de résultats à long terme.

Finalement, un mangeur émotionnellement intelligent n'a pas nécessairement de vastes connaissances sur l'alimentation, mais il est à l'écoute de son corps ainsi que des signaux que celui-ci lui envoie. Il répond à ceux-ci de façon adéquate.

VOTRE NIVEAU D'INTELLIGENCE ÉMOTIONNELLE

Les quatres courts questionnaires suivants vous aideront à situer vos acquis et à réfléchir aux concepts de l'intelligence émotionnelle. Soyez honnête avec vous-même en les remplissant afin de vraiment cibler les concepts qui pourraient être travaillés.

IDENTIFIER SON NIVEAU D'INTELLIGENCE ÉMOTIONNELLE

Évaluez-vous selon l'échelle suivante :
0 = jamais. 1 = rarement. 2 = parfois. 3 = souvent. 4 = toujours.

Réflexion sur la connaissance de soi

Je reconnais ce qui se passe chez moi, même quand
  je suis contrarié(e)/triste.
Je peux examiner mes pensées et mes émotions. ____
Il est facile pour moi de mettre des mots sur mes émotions. ____
Mes émotions sont claires pour moi à tout moment. ____
Les émotions occupent une partie importante de ma vie. ____

Additionnez vos points : ____ /20

Réflexion sur la maîtrise de soi

Je contrôle mes envies de faire des excès de choses qui pourraient
  nuire à mon bien-être. ____
Il est facile pour moi de me donner des objectifs et d'y adhérer. ____
Je maintiens mon calme, même en moment de stress. ____
Si un problème ne m'affecte pas directement, je ne le laisse
  pas m'affecter. ____

Quand je ressens de la colère envers quelqu'un,
  je peux me retenir de l'exprimer.

Additionnez vos points : ____/20

Réflexion sur la conscience sociale

Je suis capable de calmer une personne contrariée. ____
Je suis bon pour motiver les autres. ____
Il est facile pour moi de partager
  mes émotions profondes avec les autres. ____
Je suis capable de démontrer de l'affection. ____
Mes relations sont sécurisantes pour moi. ____

Additionnez vos points : ____/20

Réflexion sur l'empathie

Je peux facilement déceler les gens contrariés autour de moi. ____
Je sais habituellement quand parler et quand rester en silence. ____
Cela m'affecte véritablement de voir des gens souffrir. ____
Je suis habituellement capable de comprendre
  comment les autres se sentent. ____
Je sais quand l'humeur d'une personne change. ____

Additionnez vos points : ____/20

En additionnant les points pour chaque questionnaire, vous obtenez :

ENTRE 0 ET 12

Attention ! Vous ne maîtrisez pas suffisamment
cette composante. Cherchez à développer vos compétences
davantage. N'hésitez pas à vous ouvrir aux autres ou peut-être
à consulter un psychologue qui vous aidera à cheminer.

ENTRE 13 ET 16

Fonctionnement efficace, mais pourrait être mieux maîtrisé.

ENTRE 17 ET 20

Concept bien acquis. Continuez sur cette voie.

Finalement, notre niveau d'intelligence émotionnelle impacte non
seulement la façon dont nous interagissons avec les autres et la
manière dont nous interprétons et gérons une situation, de même
que notre équilibre, mais également nos comportements alimentaires.
Travailler sur les concepts de l'intelligence émotionnelle que vous
maîtrisez moins bien pourrait vous aider à grandir et à adopter plus
facilement une alimentation positive.

Chapitre V
Penser comme un enfant

À l'écoute de leur estomac qui gargouille, les nouveau-nés se mettent à pleurer en présence de la faim. Certaines journées, ils boivent aux trois heures, presque réglés comme des horloges, alors qu'à d'autres moments, ils peuvent réclamer à boire aux heures. Parlez-en à vos amies nouvellement mamans ou même à votre propre mère pour lui rappeler de bons souvenirs... ou de moins bons !

Chez les enfants en jeune âge, on observe une tendance forte à réguler leur appétit en fonction de la faim. En effet, leurs signaux de faim et de rassasiement semblent clairs ; ils les écoutent à la lettre et cela n'a rien à voir avec le fait qu'ils viennent d'apprendre l'alphabet ! Hélas, en vieillissant, une multitude de facteurs entrent en jeu et viennent brouiller nos signaux internes de sorte que nous ne reconnaissons parfois même plus la faim ni la satiété.

MANGER LA NUIT

Sauf exception, les enfants en bas âge sont très sensibles à leurs signaux corporels. La faim entraîne une prise alimentaire et la satiété les fait s'arrêter de manger. Tous les nouveaux parents vous le diront, les signaux – ou les cris stridents – sont on ne peut plus clairs. Les réveils brutaux à 2 heures du matin confirmeront mes dires ! Par contre, cela entraîne une balance énergétique remarquable, c'est-à-dire une prise alimentaire qui couvre les dépenses énergétiques, mais permet également la croissance qui, rappelons-le, est fulgurante durant les premières années de la vie. Le linge est toujours trop petit et on a toujours l'impression de renouveler la garde-robe de bébé en entier tous les trois mois, du moins si on veut qu'il ait du linge adapté à sa taille !

Une revue de la littérature concernant la prise alimentaire en l'absence de faim chez les enfants, publiée dans le renommé journal scientifique *Appetite*, s'est penchée sur le comportement alimentaire des enfants de 3 à 13 ans. Les chercheurs ont démontré que les enfants de toutes ces tranches d'âge peuvent manger en l'absence de faim, mais que la prévalence augmente de façon significative en fonction de l'âge.

Comment pourrait-on expliquer ce changement de comportement ? Plus l'enfant vieillit, plus grande est sa compréhension de son environnement – y compris son environnement alimentaire –, plus il devient vulnérable aux publicités où les aliments sont en vedette, plus il a d'occasions spéciales de manger, plus il est influencé par ses camarades, etc. On dicte même quand manger. Par exemple, certains enfants au service de garde doivent manger à 11 h 50 alors que certains adolescents doivent parfois dîner à 10 h 40 selon leur horaire. Comment leur apprendre à s'écouter ?

Ainsi, en vieillissant, les enfants sont de moins en moins proches de leurs signaux de faim et de satiété et sont de plus en plus alertés par des signaux externes qui les incitent à manger, et ce, même en l'absence de faim. La perte des signaux internes commence déjà très jeune.

LA FACE DANS LE GÂTEAU AU CHOCOLAT

Aussi, alors qu'à la petite enfance, l'enfant se nourrit pour satisfaire sa faim, le plaisir de manger s'intègre de plus en plus à son alimentation lorsqu'il découvre des aliments « plaisir ». Rappelez-vous votre premier gâteau au chocolat à votre fête de 1 an (O.K., peut-être que vous ne vous en rappelez plus, mais vous avez sûrement une photo de vous la face beurrée de chocolat… jusque dans les cheveux !) ou votre première sortie au cinéma où les effluves du maïs soufflé au beurre marquèrent à un point tel l'association entre cet aliment plaisir et l'univers cinématographique que vous croyez aujourd'hui dur comme fer que le popcorn va de pair avec le visionnement d'un film. Tous ces facteurs contribuent à diminuer l'impact des signaux internes sur la prise alimentaire des enfants et à augmenter l'effet des signaux externes sur ceux-ci.

On estime qu'un adulte prendra de 1 à 2 livres (entre 400 et 800 grammes) chaque année après l'âge de 30 ans.

L'ADULTING

À l'âge adulte, les influences externes abondent : les publicités toujours plus alléchantes les unes que les autres, les sorties festives entre amis (allô la première brosse, le premier lendemain de veille et la première « fausse » promesse où on essaie de se convaincre que ce sera la dernière fois !), la compagnie de proches, les évènements spéciaux, le stress et diverses autres émotions séduisent nos papilles même par inappétence. Pour plusieurs, la connexion avec les signaux de faim et de satiété s'est amoindrie ; chez d'autres, elle s'est complètement effacée. N'ayez crainte, tout n'est pas perdu !

Reprenez contact avec vos signaux en appliquant les règles ci-dessous :

1. Éviter les prises alimentaires impromptues.
2. Ne pas se laisser dicter par les aiguilles de sa montre et les heures dites « normales » des repas.
3. Ne pas « surmanger » et surconsommer simplement parce que c'est bon.
4. Prendre son temps (on estime que les signaux de satiété surviennent une vingtaine de minutes après le début de l'acte alimentaire).
5. Ne pas se forcer. Si vous n'avez pas faim, vous n'avez tout simplement pas faim. C'est ça écouter ses signaux ! Et si ça veut dire que vous ne mangez pas toutes les 4 heures, ce n'est pas plus grave que ça.
6. Être attentif aux gargouillis, aux signes d'une faim réelle et non émotionnelle.

Comme notre balance énergétique est grandement influencée par nos signaux de faim et de satiété, leur absence joue en notre défaveur et mène bien souvent à un gain de poids. Heureusement, il est possible de se reconnecter avec son corps petit à petit. **Manger positivement, c'est réapprendre à se laisser guider par ses signaux internes et c'est parfois dire oui à la barre de chocolat qui surgit dans ses pensées. Parce que ses pensées obsessionnelles pour la barre de chocolat sont comme une *toune* de Céline Dion qui vous reste pognée dans la tête. Elles ne s'en iront pas tant et aussi longtemps que vous ne l'aurez pas écoutée... ou mangée !** Comme il est toujours plus satisfaisant de manger quand on a faim et toujours plus confortable de s'arrêter quand on est rassasié, votre corps vous sera éternellement reconnaissant de ces modifications positives dans vos habitudes alimentaires.

5 TRUCS

POUR SE RECONNECTER AVEC SON ENFANT INTÉRIEUR

1. Faire une liste de ses meilleurs souvenirs d'enfance en lien avec l'alimentation.

(Un pique-nique en famille ? Un repas mémorable ? Un anniversaire marquant ?) – Pour ma part, je me souviendrai toujours de ma première visite à Montréal dans le quartier chinois avec mes parents. Pour moi, un p'tit Beauceron, aller à Montréal était une activité extraordinaire et enrichissante. C'est la première fois où j'ai pu découvrir la nourriture d'ailleurs à une époque où le pâté chinois, le spaghetti et les côtelettes de porc régnaient en maîtres dans la cuisine – allô les années 1990 !

2. Revisiter les recettes classiques de son enfance.

Mon père avait l'habitude de couper mes gaufres ou mes rôties en seize ! Pas en quatre... en seize. Non, mais quelle patience avait-il ! Aujourd'hui encore, les gaufres et les rôties me rappellent mes doux matins d'enfant à écouter les « comiques » devant la télévision.

3. Écrire une lettre à l'enfant qu'on a été.

Parlez-lui de votre relation actuelle avec la nourriture, de ce que vous avez appris/compris avec les années, des pièges que vous auriez aimé éviter, des personnes qui vous ont marqué ou encore des belles découvertes que vous avez faites.

4. Reconnaître ses bons coups et être fier de soi.

C'est la base ! Adressez-vous directement à votre enfant intérieur et reconnaissez tous vos efforts et tout le positif derrière votre cheminement. La fierté s'exprimera notamment par une sensation de légèreté, d'accomplissement, un peu comme si vous flottiez sur un nuage (tsé, comme dans les publicités de fromage Philadelphia à l'époque !).

5. Écrire et dessiner librement

Prenez quelques minutes tous les jours pour dessiner ou écrire librement dans un calepin tout ce qui vous passe par la tête. Cela vous permettra de libérer votre conscience alors qu'une autre partie de vous prendra le dessus. Pour un maximum de plaisir et de créativité, laissez votre enfant intérieur vous guider. N'ayez pas le syndrome de la page blanche. Griffonnez tout simplement des formes diverses, des lettres, des traits, et changez de sortes de crayons si vous le sentez. Bref, amusez-vous !

Chapitre VI
La méthode
M.O.T.I.V.A.T.I.O.N.

Que serait un livre sur la motivation et l'alimentation positive sans une méthode concise pour cheminer et apprendre à manger sainement ? Un deux-en-un : plutôt *cool*, n'est-ce pas ? Le mot « motivation », composé de 10 lettres, m'a inspiré un acronyme qui forme une série de 10 étapes pour parvenir à positiver son alimentation facilement. Place à la **M.O.T.I.V.A.T.I.O.N.**

Miser sur soi

S'**O**rganiser

Trouver ses objectifs

S'**I**nspirer

Visualiser

S'**A**llier

Transformer ses réflexions

Instaurer le changement, aussi petit soit-il

Optimiser son alimentation

Nourrir son corps et son esprit

Miser sur soi

Tout d'abord, avant d'amorcer un changement comportemental, il est important d'avoir confiance en ses capacités. Une fois cette étape franchie, vous devrez prendre conscience des modifications que vous voulez apporter dans votre environnement alimentaire et ainsi devenir l'observateur de votre propre évolution. L'auto-observation permet d'être plus réactif aux petits changements qui surviennent durant le processus global de transformation du comportement. De ce fait, cette réactivité serait un facteur de réussite important du progrès.

En étant conscient des améliorations que vous apportez à vos habitudes alimentaires et en vous observant quotidiennement, vous serez aux premières loges pour constater les bienfaits de ce nouveau comportement et ainsi plus apte à l'adopter à long terme.

Des chercheurs ont démontré que la fréquence d'un comportement indésirable est diminuée lorsque la technique d'auto-observation est utilisée. La fréquence de votre auto-observation pourrait également être déterminante. Plus vous serez assidu à la tâche, plus vous serez en mesure de voir des résultats positifs. **Misez donc sur vous !**

Vous êtes le seul et unique auteur de vos changements. Vous devez vous convaincre, jour après jour, que vous êtes capable d'atteindre vos objectifs à court et à long terme. Observez-vous et encouragez vos bons coups. Miser sur soi ne garantit pas de ne pas faire d'erreurs, mais bien d'agir selon ses propres convictions et ses valeurs personnelles.

Écouter les experts est facile – et tentant – et suivre leurs conseils peut parfois ressembler à un raccourci, à du prémâché. Ce n'est pas parce que vous n'êtes pas expert dans un sujet que, primo, vous ne pouvez pas le devenir, et secundo, vous devez voir leurs propos comme la vérité absolue, car oui les experts se trompent parfois.

Miser sur soi, c'est aussi reconnaître son plein potentiel et se dire : « Je suis capable et je vais acquérir des connaissances ! » Vous ne savez pas cuisiner une recette difficile ? Pas grave, ça s'apprend et une marche à suivre est disponible pour y parvenir plus facilement. Vous voulez en savoir plus sur votre corps, comment il marche, sur la nutrition en général ? Avec un peu de motivation, on peut s'instruire, et ce, à tous les âges ! On n'est jamais trop vieux pour apprendre.

s'Organiser

Que ce soit pour des athlètes de haut niveau ou encore pour M. et Mme Tout-le-monde, l'organisation est un élément primordial du succès et elle permet de rester motivé en tout temps. Concrètement, cela peut signifier de planifier ses repas pour éviter de recourir trop fréquemment à une solution dépannage avec des aliments très transformés. En cuisinant davantage ce que l'on mange, on est plus conscient de ce qui nous nourrit. Et ça peut se faire en famille, ou entre amis! Cela veut aussi dire de mettre à l'horaire du temps pour prendre soin de soi, en allant marcher avec une amie, par exemple. Il n'est pas nécessaire d'organiser à la seconde près tout ce qu'on mangera ou qu'on fera dans les prochains jours, mais le faire, du moins en partie, libère son esprit afin d'être un peu moins stressé au quotidien. Voici quelques trucs concrets pour bien s'organiser :

Faire une liste des recettes qu'on apprécie et garder en stock la plupart des ingrédients pour les cuisiner rapidement ;

Cuisiner en double pour congeler un repas d'extra, quand c'est possible ;

En soirée, diviser en portions les restes du souper en format lunch pour éviter de le faire le lendemain matin ;

Libérer un moment, chaque jour, pour bouger un peu. Si on le met à l'horaire, on risque moins de l'oublier. Heure du lunch, petit matin, début de soirée, voilà de bons moments pour s'activer.

Trouver ses objectifs

La troisième étape du processus de motivation consiste à faire le tri dans les nombreux objectifs que vous voulez réaliser à court ou à long terme. Établir une liste de priorités vous aidera à cibler les objectifs les plus pertinents. Selon une étude, en ce qui a trait à l'accomplissement des objectifs, l'engagement d'une personne qui se fixe un seul objectif serait environ deux fois plus élevé que chez celle qui s'est assigné six objectifs. Plus vous prioriserez d'objectifs, plus vous risquerez d'avoir de la difficulté à faire un suivi efficace de votre cheminement et plus vous éprouverez du désengagement dans le processus. Cette limitation en matière d'objectifs vous aidera à parvenir à vos buts plus rapidement. Par le fait même, vous serez en mesure d'en choisir de nouveaux qui figurent sur votre liste de priorités. Assurez-vous de toujours vous donner comme défi de réaliser un maximum de un à trois objectifs à la fois, selon leur ampleur.

Au final, les plans avec des objectifs multiples sont à proscrire. On peut se noyer dans la longue liste et se sentir plus facilement découragé. C'est pourquoi lorsque vous visitez un professionnel de la santé, il vous donne des indications au compte-goutte. Il le fait pour faciliter la mise en place et l'implantation des conseils dans votre quotidien. En tant que nutritionniste qui a vu des milliers de clients dans une clinique privée en consultation individuelle, j'ai obtenu de très beaux résultats à long terme chez les personnes les plus motivées, qui croyaient au processus et qui effectuaient des changements petit à petit. J'ai aussi vu, au contraire, des personnes frustrées qui s'attendaient à recevoir une *to-do list* santé à boucler en quelques semaines. Mais on ne fait pas l'entretien du corps humain aussi facilement qu'on le fait pour une voiture !

Si vous voulez entraîner votre cerveau à faire de meilleurs choix en matière d'alimentation, soyez spécifique dans la formulation de vos intentions ou de vos objectifs. Les défis du genre « je dois mieux manger » et « je vais cuisiner plus à la maison » sont trop généraux. Le cerveau sera moins enclin à vous aider à changer votre comportement. Au contraire, si vous êtes plus spécifique, il travaillera moins, ce sera plus clair et vous atteindrez votre objectif plus facilement.

Avant d'établir un plan d'action, la définition des objectifs est essentielle. En effet, il est facile de dévier ou encore d'abandonner nos démarches lorsque aucune ligne directrice n'a été établie dès le début du processus de changement. Vous devez donc dresser la liste de vos objectifs. En matière de nutrition, cette étape permet l'obtention de résultats significativement positifs dans le processus de changement de comportement alimentaire (perte de poids, augmentation de la consommation de fruits et légumes, diminution de la consommation de sucre raffiné, etc.). Le degré de difficulté ainsi que le niveau de précision des objectifs fixés sont des déterminants importants du succès. Vous serez donc plus performant si vous tenez compte de ces deux caractéristiques lorsque vous définirez vos principaux objectifs. Pour y parvenir plus facilement, essayez l'objectif SMART.

Un objectif
SMART est...

Spécifique
Définir clairement le résultat attendu.

Mesurable
Quantifier mon objectif afin
de déterminer s'il a été atteint ou non.

Atteignable
Définir des moyens réalistes
pour atteindre mon objectif.

Réaliste
Tenir compte des différentes contraintes (environnement alimentaire, ressources, etc.).

Temporel
Préciser l'échéancier ou une date limite pour l'atteinte de mon objectif.

Pour que vos objectifs soient « temporels », c'est-à-dire
qu'ils soient assortis d'un échéancier, envisagez de commencer avec : « À la fin du mois... », « À la suite de... », « Chaque
jour... » ou « Après avoir [insérer un verbe d'action]... ».

TABLEAU 7
EXEMPLES D'OBJECTIFS SMART POUR POSITIVER SON ALIMENTATION

SPÉCIFIQUE	Augmenter ma consommation de fruits et légumes.
MESURABLE	Consommer chaque jour au moins 5 fruits ou légumes (ou leur équivalent).
ATTEIGNABLE	Prévoir la liste d'épicerie en conséquence et précouper les fruits et légumes pour faciliter leur consommation.
RÉALISTE	Ajouter 2 portions de fruits et légumes par rapport à mes habitudes actuelles.
TEMPOREL	Échéancier : je me donne 2 mois pour réussir à atteindre mon objectif.

Le succès dans l'atteinte des objectifs est donc directement relié au nombre d'objectifs fixés au préalable. C'est maintenant à vous de jouer : triez vos objectifs, déterminez-en un ou deux prioritaires avec la méthode SMART et vous aurez les résultats escomptés !

S'INSPIRER

S'inspirer d'un livre de recettes n'est pas une pratique récente, mais daterait plutôt du Moyen Âge. Le premier livre de recettes imprimé remonterait à 1485. Il portait le titre *Daz buch von guter spise* (*The Book of Good Food*) et était écrit en allemand. Depuis ce jour, il a pavé la voie à des millions d'autres ouvrages. Avec l'émancipation des nouvelles technologies, nous avons désormais accès à des recettes et à de jolies photos inspirantes, toujours à portée de la main (littéralement, avec les téléphones intelligents !).

Nos comportements peuvent être influencés par ce que nous voyons passer sur nos différents fils d'actualité, que ce soit sur Facebook, Pinterest ou Instagram. Notre jugement et notre analyse de la crédibilité ainsi que du contenu mis de l'avant par son auteur revêtent une grande importance et exerceraient un impact sur nos choix.

Effectivement, il est prouvé que l'information trouvée, si nous la considérons comme fiable et crédible de par la confiance que nous accordons à l'auteur, aurait un impact direct sur nos comportements alimentaires quotidiens. Des chercheurs ont montré que des photos attrayantes avaient la capacité de nous inciter favorablement à reproduire la recette ou à nous en inspirer fortement. Donc, le seul fait de voir dans notre fil d'actualité une assiette colorée et attrayante qui regorge de légumes pourrait avoir un impact positif sur le choix de notre prochain repas. Se servir des livres de recettes, des émissions culinaires ou encore des médias sociaux pour s'inspirer dans la création de ses repas est alors une bonne solution pour garder une constante motivation.

> Et maintenant, pourquoi ne pas vous abonner à différents blogues motivationnels culinaires et sportifs qui garderont votre motivation à son plus haut niveau ?

Visualiser

La visualisation est l'action de rendre visibles d'une façon matérielle l'action et les effets d'un phénomène. Dans la méthode **M.O.T.I.V.A.T.I.O.N.**, il s'agit d'imaginer positivement où l'on souhaite être dans les différentes sphères de sa vie. On peut se voir en voyage à Bologne en train de déguster un délicieux plat de pâtes sauce ragù, ou battre son meilleur temps dans une course à pied à la fin de l'été, ou savourer un paysage magnifique lors des vacances en famille, ou avoir une promotion au travail, ou se marier dans un vignoble ou même arriver à embarquer à nouveau sur son vélo après avoir subi une blessure.

En visualisant ses rêves et ses objectifs, on concrétise ses buts et les méthodes pour y accéder. Les efforts requis pour y arriver deviennent réels ; automatiquement, on entreprend le nécessaire pour atteindre ses objectifs longuement visualisés. Par exemple, si vous ne vous visualisez pas en train d'avoir une promotion, vous n'aurez peut-être pas tendance à faire des heures supplémentaires, à aller aider des collègues même si cela vous demande de prendre une heure de dîner, ou de demander plus de responsabilités auprès de votre employeur. Quelqu'un qui imagine obtenir cette promotion ou un poste supérieur mettra toutes les chances de son côté puisqu'il sait où il veut se rendre.

« Si vous pouvez l'imaginer, vous pouvez y arriver. Si vous pouvez y rêver, vous pouvez le devenir. »

— *William Arthur Ward,*
écrivain américain

Afin de garder en tête l'objet de votre visualisation, vos idées et vos objectifs, les concrétiser sur un tableau de visualisation ou un *mood board* – soit sur un fond d'écran d'ordinateur ou à l'ancienne sur un babillard – pourrait vous garder motivé. Cette méthode plus ou moins rétro fonctionne presque toujours. Il suffit de sortir crayons, ciseaux, colle en bâton et vieilles revues et de vous amuser à bricoler. Préparez votre tableau de motivation en y collant des photos qui vous inciteront à atteindre vos objectifs. Une paire de jeans, un dos musclé, un maillot de bain, un hôtel au Mexique ? Collez-y tout ce que vous désirez. N'oubliez surtout pas d'y inscrire votre objectif de même que quelques citations sur le bonheur, la santé et le positivisme.

Ajoutez-y votre calendrier d'entraînement et votre dossard d'une course à pied, des photos de vous, d'un proche, d'un athlète ou d'une personnalité connue qui vous inspire. Ces éléments ne sont que quelques exemples pouvant se retrouver sur ce tableau motivationnel, qui agira comme rappel de vos objectifs et des étapes nécessaires pour les atteindre.

S'ALLIER

Toujours dans la poursuite de vos buts, pensez à inclure des membres de votre famille ou certains de vos amis proches qui sont aussi enthousiasmés que vous à faire des petits changements dans leur vie quotidienne. Planifiez des activités collectives qui vous aideront à atteindre les objectifs que vous vous êtes fixés individuellement. Par exemple, entraînez-vous à deux ou à plusieurs en vous joignant à une équipe sportive ou à une ligue de garage. Statuez sur les moments de la semaine que vous consacrerez à vos entraînements. En ayant établi une plage horaire et en ayant un ami qui vous attend, vous serez plus motivé. Vous serez constamment encouragé à repousser vos limites.

Faites la même chose lorsque arrive le temps de cuisiner les repas quotidiens. Jumelez-vous à une personne de votre cercle d'amis qui aura, elle aussi, le désir de bien manger. Vous pourrez alors planifier, de façon hebdomadaire, une journée ou encore une demi-journée pour cuisiner ensemble des repas nutritifs et partager les diverses tâches à réaliser. Cette initiative vous permettra d'avoir des repas déjà faits lorsque le temps vous empêchera de cuisiner. De plus, les nouvelles

idées que vous apportera votre ami ainsi que ses connaissances pourraient vous inspirer à essayer de nouvelles recettes à la maison. Profitez
de ce moment pour apprendre et découvrir dans le plaisir.

De plus en plus de gens s'approprient les réseaux sociaux et les
utilisent comme de véritables outils dans la poursuite de leur quête
de santé. Les mouvements « *fitspiration* » ou « *foodspiration* » sur
Pinterest et Instagram en sont de bons exemples. Ces mouvements
sont la résultante de la troncation de l'inspiration avec soit l'activité
physique, soit l'alimentation. Le *fitspiration* est toutefois beaucoup
plus contesté et controversé, car il promeut notamment la minceur
et le tonus musculaire, des idéaux qui détonnent parfois avec la quête
de bien-être et l'abandon des restrictions alimentaires.

La plateforme Instagram est très prisée pour partager les photos de
nourriture et de repas et, a priori, les utilisateurs la préfèrent à Facebook qui est davantage vu comme un réseau social où famille, amis
et collègues sont réunis au même endroit – est-ce que votre boss ou
votre grand-mère souhaite réellement connaître la composition de
votre déjeuner ? Ça m'étonnerait ! Instagram permet donc d'avoir une
communauté parfois plus solidaire que les autres médias sociaux.
Les participants d'une étude ont noté qu'ils répertoriaient les mots-
clics (*hashtags*) qui attiraient leur attention sous certaines de leurs
publications préférées, puis qu'ils suivaient les comptes de comparses
qui vivaient souvent les mêmes expériences/défis qu'eux.

Instagram permet non seulement de suivre, mais aussi de partager
son expérience et, du même coup, de motiver les autres. Les acteurs
impliqués dans un changement de comportement qui utilisent Instagram ont affirmé que la plateforme leur fournissait un sentiment de
responsabilité envers leurs abonnés ou de reddition de comptes. En
fait, cela les motivait à partager leurs réussites et leurs progrès dans
la poursuite de leurs buts. De plus, Instagram permet le *tracking* des
apports alimentaires et concentre toutes les photos au même endroit,
ce qui donnait la chance aux participants de l'étude de revenir voir
leurs anciennes publications et de prendre du recul par rapport à leur
semaine ou leur mois. Il est également facile et commode d'envoyer
un émoji en guise d'appui ou d'encouragement aux abonnés, ce qui
est une forme intéressante – et très 2,0 – de soutien émotionnel.

Transformer ses réflexions

Rien n'est plus difficile que de changer des habitudes bien ancrées. À cet égard, des chercheurs ont déterminé que l'influence de nos parents a un rôle primordial dans l'établissement de nos préférences alimentaires et donc, de nos habitudes alimentaires. Considérant que nos habitudes apparaissent dès l'enfance, il est normal de trouver difficile le changement, surtout si ce dernier est draconien et qu'il nous est imposé du jour au lendemain.

Par exemple, s'astreindre à suivre un régime très restrictif pour perdre du poids implique d'énormes modifications dans la routine quotidienne en ce qui a trait à l'alimentation. C'est à ce moment que le niveau de difficulté s'élève, et que les changements s'avèrent ardus, voire quasi impossibles. Pour vous assurer d'être capable d'instaurer des changements à long terme dans votre alimentation, répondez à la question suivante : « Est-ce qu'à 70 ans, je me vois encore manger de cette façon ? »

Répondre à cette question vous permettra de transformer vos réflexions en matière d'alimentation, de vous questionner sur la pertinence des modes passagères impliquant une multitude de diètes, de remettre en cause certains faits présentés dans les médias qui recherchent avant tout le sensationnalisme et le *clickbait* (les pièges à clics), et de poser un regard critique sur votre alimentation.

Pour arriver à transformer ses réflexions, il faut parfois se retirer un moment et « monter au balcon », un peu comme le ferait un metteur en scène qui dirige ses comédiens. Ce dernier a ainsi la meilleure vue sur le théâtre. Cela permet de voir plus large, même les coulisses, et de voir tous les acteurs impliqués. Dans un monde où l'on nous montre souvent ce que nous voulons voir – merci aux algorithmes de Facebook ou Google –, cela peut être bien de sortir un peu de la bulle et d'être challengés par des opinions différentes, quelles qu'elles soient. Poussez vos réflexions plus loin, élargissez vos recherches, questionnez... C'est de cette façon que vous ferez les plus belles découvertes.

INSTAURER LE CHANGEMENT

Dans l'instauration d'un changement, on peut croiser des éléments qui vont favoriser la poursuite de ses objectifs – les facilitateurs – ou bien, au contraire, on peut croiser des barrières – les entraves. Si nous prenons l'exemple d'un objectif qui est lié au fait de positiver son alimentation, un facilitateur pourrait être un conjoint sportif qui vous encourage à manger sainement, alors qu'une entrave pourrait être que vous éprouviez une sensation de faim permanente.

N'ayez crainte de parler de vos changements d'habitudes de vie à vos proches, car vous deviendrez une source d'inspiration pour eux, voire un modèle. Pour impliquer d'autres personnes dans le processus, la communication de la cause du changement serait l'une des stratégies utilisées par les plus grands gestionnaires qui favoriserait l'adhésion au changement. Vous serez d'autant plus motivé si vos proches décident de vous accompagner dans votre objectif !

Il n'est pas toujours facile d'initier le changement, mais sautez à la page 108 pour voir les 6 stades du changement et apprendre comment passer plus rapidement à l'action.

OPTIMISER

Optimiser son alimentation n'implique pas toujours de très gros changements ! Tout dépend du point de départ. Optimiser l'environnement directement autour de la cuisine aurait une influence positive sur la santé et même sur le poids. Une étude a montré qu'une cuisine bordélique favorisait un environnement obésogène. L'optimisation de son horaire peut aussi encourager les saines habitudes de vie. Par exemple, se réserver du temps pour aller à l'épicerie, pour préparer des crudités et pour faire des activités sportives pourrait vous assurer de ne pas passer à côté de l'essentiel. En appliquant les 10 points suivants, vous améliorerez considérablement votre santé sans même devoir trop réfléchir. Tu appliques cela, puis le reste se fait tout seul, je te le dis !

1. De la couleur dans mon assiette !

Servez les légumes ou la salade en premier, avant même que le plat principal (et les féculents) soit servi. Les légumes contiennent des vitamines, des minéraux, des antioxydants et des fibres. Ces dernières sont reconnues pour leur effet rassasiant. Elles contribuent donc à la saine gestion du poids. N'hésitez pas à varier les couleurs et les textures. En servant les légumes d'abord, vous comblerez votre faim et éviterez les excès d'aliments moins nutritifs tels que les croustilles.

2. Les portions

Le plat principal est divisé en portions au comptoir de la cuisine. Cette simple règle favorise la gestion des portions et l'équilibre entre les différents groupes alimentaires. Vous serez à la fois rassasié et comblé par votre repas.

3. Petits formats svp !

Il est recommandé de manger dans de petites assiettes. Idéalement, celles-ci devraient mesurer moins de 10 po (25 cm). Par exemple, vous pourriez servir le plat principal dans des assiettes à dessert. Vous aurez ainsi l'impression que votre assiette est bien garnie. Vous pouvez ensuite clore le repas avec un fruit ou un yogourt.

4. Fermée, la télévision !

Lorsque nous mangeons devant la télévision, nous sommes beaucoup moins à l'écoute de nos signaux de faim et de satiété. Quand nous sommes rivés à l'action diffusée à l'écran, nous sommes parfois portés à manger davantage que ce dont notre corps a réellement besoin.

5. Pas de réserve de boissons gazeuses

Si vous êtes un adepte des boissons gazeuses, n'en gardez pas plus de deux canettes dans votre réfrigérateur. Vous aurez ainsi un meilleur contrôle sur votre consommation. Ouvrez vos horizons et découvrez de nouvelles boissons tout aussi rafraîchissantes et désaltérantes, telles que les eaux pétillantes ordinaires que vous aromatiserez de vos fruits et herbes fraîches préférés.

6. 1, 2, 3... rangez !

Vous connaissez sans doute l'expression « On mange d'abord avec les yeux ». Cela s'applique également pour tout ce que nos yeux croisent dans la cuisine. Faites de cette pièce un environnement favorisant la saine gestion du poids en prenant soin de bien ranger, idéalement dans des contenants opaques, tous les aliments qu'il pourrait être tentant de grignoter. L'envie sera moindre si vous ne les voyez pas à chaque passage devant la cuisine.

7. Collation saine à portée de main !

Soudain, la faim vous tiraille et votre estomac gargouille. Vous vous empressez d'avaler quelque chose. Assurez-vous de toujours avoir sous la main de saines options. À titre d'exemple, des fruits et des légumes précoupés devraient se trouver en permanence sur la tablette du milieu de votre réfrigérateur.

8. Pensez protéines

Au moins six portions de protéines maigres devraient se trouver dans votre réfrigérateur. Les œufs, le yogourt, le tofu, le fromage, les légumineuses, la dinde en renferment de bonnes quantités. Ayez-en toujours sous la main et vous aurez de quoi combler les fringales entre les repas ou encore facilement bonifier la teneur en protéines de vos repas.

9. Hors de ma vue !

Vos collations moins saines devraient être placées dans un endroit difficilement accessible dans votre garde-manger. Si vous raffolez d'un aliment particulier, vous pouvez le ranger au sous-sol ou très loin de la cuisine. Si une grande distance vous en sépare, vous serez beaucoup moins porté à aller le chercher. En plus, si vous choisissez de vous rendre au sous-sol, vous aurez suffisamment de temps pour changer d'idée et vous demander si avez réellement faim ou s'il s'agit plutôt d'une envie.

10. Montagne de fruits

Les seuls aliments bien en vue sur votre comptoir sont les fruits. Si vous avez une fringale entre les repas, ce sera vers eux que vous aurez le réflexe de vous tourner. Ainsi, vous comblerez votre faim et vous contribuerez à augmenter votre consommation quotidienne de fruits.

NOURRIR SON CORPS ET SON ESPRIT

Les connaissances en nutrition, que ce soit par l'intermédiaire de magazines, de livres ou de documentaires, auraient un impact majeur sur nos habitudes alimentaires. En effet, notre alimentation serait directement reliée à notre niveau de connaissances. Des chercheurs ont démontré que le fait d'avoir des connaissances en nutrition augmenterait significativement notre consommation de fruits et légumes et diminuerait par le fait même notre apport en gras. Ainsi, selon leur étude, seulement 11 % des individus interrogés et ayant de faibles connaissances en nutrition mangeaient au moins 5 portions de fruits et légumes par jour contrairement à 52 % chez le groupe ayant beaucoup plus de connaissances dans ce domaine. Gardez donc votre esprit à l'affût des nouveautés en nutrition ; vous serez encore plus tenté de mieux manger !

Chapitre VII
Passer à l'action

Positiver son alimentation, c'est entreprendre des démarches personnelles et collectives qui feront en sorte qu'on s'éloignera le plus possible de la négation, de la stigmatisation, de la démonisation de certains nutriments et aliments, de la pseudoscience qui stimule la propagande, et des fausses croyances qui semblent parfois transcender les générations. Je propose un passage à l'action facile, rassurant, motivant et garant de résultats. Allez hop, une étape à la fois !

Voici donc les 10 constituants d'un environnement alimentaire positif.

1. **S'entourer de proches aux repas.**

2. **Aucun interdit : tous les aliments font partie d'une saine alimentation !**

3. **Assumer chaque bouchée...**

4. **Changer son vocabulaire : utiliser le mot-clé « plus » et retrancher les « moins ».**

5. Finie, la tyrannie de la pesée quotidienne.

6. Redécouvrir son corps : une question de perception !

7. Cuisiner plus = manger mieux !

8. Remplir ses armoires et son frigo avec beaucoup d'aliments « quotidiens savoureux » et quelques aliments « occasionnels festifs ».

9. Laisser ses émotions se mêler de leurs affaires !

10. Avoir une attitude positive envers la saine alimentation serait payant !

1. S'ENTOURER DE PROCHES AUX REPAS

Être bien entourés à table influence positivement notre alimentation. Premièrement, dans des contextes sociaux, nous avons tendance à manger plus lentement puisque nous prenons part à d'importantes conversations – ici, j'insiste sur le mot « importantes » puisqu'il n'y a rien de plus plate qu'un repas où personne ne parle. Allez, on décroche de son cellulaire et des réseaux sociaux et on préfère le vrai réseau social, celui où on jase directement avec son interlocuteur.

Prendre son temps pour manger et jaser allonge le temps consacré aux repas et permet de positiver l'expérience. De plus, il sera beaucoup plus facile de ressentir la satiété qui surviendra après une vingtaine de minutes. Si vous mangez aussi vite qu'un participant à un concours du « plus grand mangeur de hot-dogs au monde » qui désire décrocher une place dans le *Livre Guinness des records,* bonne chance pour garder la ligne... et la santé !

Pour rire un peu, voici quelques faits sur les hot-dogs, selon le *Livre Guinness des records* :

- Le plus grand nombre de hot-dogs mangés en 3 minutes est 6 et le record appartient au Japonais Takeru Kobayashi. Le record remonte à 2009.
- Le hot-dog le plus cher coûtait 169 $ US et a été vendu à Seattle le 23 février 2014. Il a été préparé à partir d'ingrédients tels qu'une saucisse Bratwurst au fromage fumé, du bœuf Wagyu, du foie gras, des truffes, du caviar, de la mayonnaise japonaise, des oignons caramélisés et des champignons Maitake.
- La plus longue ligne de hot-dogs (oui, quelqu'un a pensé à aligner des hot-dogs les uns à la suite des autres) mesurait 258,11 mètres et a été créée lors d'un évènement au Friendship Park à Tokyo, au Japon, le 23 mars 2014.

Prenez donc votre temps. Respirez. Écoutez les autres. C'est LE moment de la journée pour prêter attention à vos proches. Et n'oubliez pas de les remercier pour le bon repas.

Ces situations sociales gardent notre intérêt pour la nourriture et pour l'instant présent plutôt que pour un écran qui diminue notre plaisir de manger en détournant notre attention de la bouchée. Notre cerveau ne peut porter son attention à 100 % sur plus d'un stimulus à la fois et c'est pour cette raison que nous nuisons directement à notre « sociabilité » en regardant le fil d'actualité Facebook ou Instagram en même temps que nous faisons une autre activité. Ainsi, on désigne « manger en pleine conscience » le fait de prêter son attention sur le repas, le goût, la texture, la température des aliments, etc. Cela augmente la satisfaction d'un repas et favorise ainsi l'écoute de nos signaux internes qui régulent la faim.

Outre l'effet positif sur la satiété, être entouré au moment des repas implique souvent que l'on déguste des aliments de meilleure qualité, des ingrédients plus variés et plus élaborés. Au contraire, il est facile de se préparer un repas simpliste, rapide, moins savoureux, moins satisfaisant et de moindre qualité lorsqu'on mange seul.

De plus, en mangeant accompagné – que ce soit à l'école, à la cafétéria, dans la salle à manger, au chalet, au restaurant ou bien dans un parc –, on a tendance à ajuster sa façon de s'alimenter de manière à correspondre à la norme sociale. Cela fait directement référence à un processus de mimétisme comportemental qui permet une sorte de synchronisation des apports alimentaires. Le mimétisme a souvent été répertorié dans plusieurs autres domaines comme la posture, la gestuelle, les manières et même au niveau du langage et des accents – qui n'a pas déjà imité l'accent français sans même savoir pourquoi lors d'une visite en France ou tout simplement lors d'un échange avec nos cousins Français ? « Je suis sur Paris pour faire du *shopping* et du coup, je me suis arrêté dans un café pour... »

Sur une autre note, nous mangeons plus si nos compagnons mangent plus et, à l'inverse, nous mangeons moins si nos compagnons mangent moins. Une expérience effectuée en 2012 par des chercheurs a montré que lors d'un même repas, deux individus avaient tendance à manger en harmonie – c'est-à-dire à prendre une bouchée à moins de 5 secondes d'intervalle de leur compagnon de repas. Cette congruence dans la manière de s'alimenter était plus importante au début du repas qu'à la fin, mais influençait tout de même les apports alimentaires.

Somme toute, être bien accompagné à table, en plus d'être plaisant, se répercutera positivement sur votre alimentation. N'hésitez donc pas à solliciter l'appui de vos proches (conjoint, famille, amis, etc.).

Votre entourage représente un allié important pour vous épauler et vous encourager au quotidien.

2. AUCUN INTERDIT : TOUS LES ALIMENTS FONT PARTIE D'UNE SAINE ALIMENTATION !

Prenez quelques secondes pour penser à votre aliment plaisir préféré. Vous vous imaginez passer les 60 prochaines années de votre vie sans ce petit bonheur en bouche ? C'est une idée plutôt insensée et quasi impossible à mettre en place. Après tout, manger est un petit plaisir de la vie qu'il faut savourer. Pour apprendre à réintroduire les aliments plaisir dans votre alimentation, allez jeter un coup d'œil au chapitre XI, à la page 115.

3. ASSUMER CHAQUE BOUCHÉE...

... de brownies, de gâteau au fromage, de crêpes au sirop d'érable ou de l'aliment qui excite vos papilles gustatives, quel qu'il soit. Un environnement alimentaire positif comprend des aliments que l'on aime et qui seront consommés de façon occasionnelle, et d'autres de manière habituelle. On ne veut pas qu'intégrer ces aliments autrefois interdits dans son alimentation, on veut également éprouver une **SATISFACTION** à les consommer. Bref, on veut ressentir un état de bien-être, d'accomplissement et de bonheur. On veut se dire : « Bon, je suis rassasié et pleinement satisfait. » À bas le sentiment de culpabilité après avoir mangé un morceau de chocolat. Il n'existe plus lorsqu'on cesse d'imposer des lois, des interdits, des quotas et des barrières dans son alimentation.

4. CHANGER SON VOCABULAIRE

Lorsqu'on utilise les mots « plus » et « moins », on a l'impression de se restreindre en accordant une importance aux quantités. Dans un désir de se diriger vers une alimentation positive et axée davantage sur le qualitatif, il faut se débarrasser de termes qui font référence à des mesures directes. Par exemple, l'affirmation « Je vais **manger moins** de croustilles salées en soirée » engendre une restriction face à un aliment très prisé et apprécié. À l'opposé, « Je vais **manger plus** de fruits à la collation » implique que vous ne mangiez pas suffisamment de fruits – selon vous, selon vos repères ou vos éléments de comparaison –, ce qui sous-tend déjà un brin de culpabilité alimentaire.

En ajoutant des aliments à haute valeur nutritive à votre alimentation, il y aura moins de place pour des aliments à faible valeur nutritive et, à long terme, vous diminuerez ces derniers sans même faire d'efforts.

5. FINIE, LA TYRANNIE DE LA PESÉE QUOTIDIENNE

L'éternelle question : devrait-on, oui ou non, se peser tous les jours ? Doit-on cacher le pèse-personne ou s'en servir comme outil de motivation ? Les nutritionnistes n'encouragent pas forcément de se peser tous les jours en raison des fluctuations journalières possibles qui peuvent parfois miner la motivation. De plus, ce geste peut vite tourner à l'obsession et être la prémisse d'un trouble du comportement alimentaire. Mieux vaut cacher la balance la plupart du temps et se fier principalement à son jugement. Rien ne vaut une photo d'il y a une dizaine d'années, une vieille ceinture ou un jeans usé à la corde pour vérifier le chemin parcouru.

Les plus récentes études tendent à montrer que tout le monde a un poids idéal en tête et que des tactiques pour l'atteindre étaient utilisées tous les jours. On entend par là le *monitoring* à l'aide d'un pèse-personne à la maison, le recours à des outils technologiques tels qu'un téléphone intelligent pour faire le compte rendu de l'alimentation quotidienne, les trous de ceinture, les miroirs, etc. De plus, les individus ne considèrent pas leur corps comme un tout, mais comme des pièces détachées. Ils veulent des abdominaux de rêve, moins de cellulite, des bras plus fermes, des fesses plus rebondies ou encore un ventre moins gonflé. Cette catégorisation à l'égard des différentes parties du corps entraîne soit une satisfaction, soit une insatisfaction de l'image corporelle sans toutefois tenir compte de l'ensemble. Ainsi, une insatisfaction à un endroit qui compte plus dans les valeurs d'un individu pourrait suffire à lui faire détester son corps en entier.

En contrepartie, de récentes études indiquent que de se peser tous les jours aiderait à perdre du poids plus vite et même durablement. De ce fait, des chercheurs américains ont montré que de se peser tous les jours permettait de se responsabiliser par rapport à son poids, d'être plus motivé, plus enthousiaste et moins sujet au grignotage. Qui a raison, qui a tort ? Cela dépend...

Ceux qui arrivent à maintenir un poids stable semblent avoir des signaux d'alarme clairs qui se déclenchent immédiatement lorsqu'un gain de poids se présente. Toutefois, ceux qui malheureusement gagnent quelques kilos ici et là ne parviennent pas à répondre aux signes avant-coureurs de la prise de poids, sauf s'ils ont un état d'esprit positif. Ils font le *monitoring* de leur poids de façon erratique.

Si vous êtes de ceux qui se pèsent au quotidien et dont l'humeur de la journée en dépend, halte à la pesée immédiatement! Si une augmentation du chiffre sur la balance vous attriste ou vous décourage, cette habitude n'est pas faite pour vous. Si, au contraire, vous êtes indifférent au chiffre qui apparaît sur votre pèse-personne et avez une pensée plus rationnelle de ce moment, se peser régulièrement n'est pas problématique en soi. Par contre, il est important de savoir que votre poids fluctue quotidiennement... et même annuellement!

Au quotidien, le chiffre sur la balance est influencé par plusieurs facteurs dont la quantité de sel ingurgitée dans la dernière journée, votre état d'hydratation et votre transit intestinal. En effet, chaque personne ira à la selle et éjectera près de 30 grammes de matières fécales pour chaque tranche de 12 livres (5,5 kilos) de poids corporel. Les fluctuations intrajournalières de votre poids ne peuvent être interprétées comme une perte ou une prise de poids en soi, mais doivent plutôt être considérées comme le reflet de vos activités. Si vous êtes malade et que les apports alimentaires sont moindres, cela aura une répercussion temporaire sur votre poids. Mieux vaut noter votre poids une ou deux fois par mois, et vous fier à votre bien-être pour suivre votre poids dans le temps.

Des fluctuations intra-annuelles dans le poids peuvent également être perçues et sont tout à fait normales. Les périodes de réjouissances du temps des fêtes riment avec une hausse de la consommation de nos aliments préférés, qu'ils soient salés, sucrés ou riches en gras. Une étude menée sur un an aux États-Unis, en Allemagne et au Japon montre que le gain de poids s'accentue pendant les périodes festives telles que les fêtes de Noël et de Pâques.

En se concentrant sur les 1781 participants des États-Unis – qui ont une alimentation similaire à celle des Canadiens –, il est possible d'établir des parallèles intéressants. Ainsi, lorsque les chercheurs ont comparé le poids des Américains 10 jours après Noël à leur poids respectif 10 jours avant Noël, ils ont constaté que les participants présentaient un gain de poids significatif d'environ 0,4 %. Cette valeur pourrait correspondre à un gain de poids de 0,54 livre (250 grammes) chez une femme pesant 135 livres (61 kilos) et à un gain de poids d'environ 0,8 livre (365 grammes) chez un homme de 200 livres (91 kilos). Étrangement, le poids le plus bas serait atteint quelque part entre la fin septembre et le début du mois d'octobre – peut-être en prévision des fêtes ou tout simplement en raison des changements saisonniers apportés à son alimentation.

Donc, en considérant que notre poids varie d'une journée à l'autre, mais également d'un mois à l'autre, mieux vaut immédiatement établir si la balance doit être vue comme une amie ou une ennemie !

6. REDÉCOUVRIR SON CORPS : UNE QUESTION DE PERCEPTION !

Ce n'est pas quand on aura cinq livres en moins que tout commencera à mieux aller, qu'on deviendra soudainement plus heureux – ou populaire – ou qu'il sera temps de commencer à sortir et à fréquenter d'autres personnes. Vivre le moment présent est le plus beau cadeau que nous ayons, peu importe notre taille. Vous n'avez qu'un corps, alors soyez indulgent avec lui.

Si votre meilleure amie avait un corps en tout point semblable au vôtre, comment le qualifieriez-vous ? Lui diriez-vous qu'elle a de grosses cuisses ? De grosses fesses ? Qu'elle est laide ? **Absolument pas !**

Regardez-vous avec des yeux aimants et nommez les parties de votre corps que vous aimez, quelles qu'elles soient. Reconnaissez ce que votre corps peut faire. Par exemple, plutôt que de vous concentrer sur le fait que vous trouvez que vos jambes ne sont pas aussi fines que vous le désireriez, voyez-les comme vos moteurs qui vous permettent de courir votre défi de 5 km de course que vous vous étiez fixé à la fin de l'été. Même chose à propos de votre corps métamorphosé après une grossesse : voyez-le comme ce qui vous a permis de donner la vie à la petite personne qui compte le plus pour vous.

Vous avez le choix de percevoir votre corps comme bon vous semble. Vous pouvez le juger et être dur avec vous-même ou vous pouvez en ressortir tout le **POSITIF** en mettant de l'avant autant vos cheveux que vous adorez que les coups de pied qui font que vous excellez au soccer !

7. CUISINER PLUS = MANGER MIEUX !

Cuisiner plus, en plus d'avoir un impact positif sur le porte-monnaie, améliore souvent la qualité de l'alimentation puisque les repas préparés et les lunchs aux restaurants regorgent la plupart du temps de sel, de sucre et de gras. En cuisinant chez soi, on a le contrôle sur les ingrédients de ses recettes – même si ces dernières contiennent aussi du sel, du sucre et du gras ! Par exemple, il est possible de préparer à la maison un burger au poulet grillé, une pizza végétarienne, un sauté indien ou tout autre bon plat qui vous donne l'eau à la bouche sur le menu d'un restaurant, mais avec des valeurs nutritives bien plus intéressantes.

Cuisiner plus, c'est aussi découvrir ! Ce que j'aime par-dessus tout dans ma passion pour la bouffe, c'est *twister* une recette pour l'amé-liorer. Bien sûr, on peut trouver des recettes déjà toutes prêtes sur le Web ou dans des livres et des magazines, mais rien n'égale la liberté de changer/modifier/ajuster une recette et de se l'approprier. Donnez-vous le crédit et osez. Vous gagnerez alors en confiance. J'aime bien comparer cet exercice à l'apprentissage d'un texte. Lorsque vient le temps de le dire, le comédien peut le jouer sans la moindre émotion et même sembler un peu faux. Ce qu'il lui faut, c'est incarner le texte, se l'approprier et non simplement le réciter. Il faut être capable de réagir vite aux évènements et se rattraper si une erreur survient. Bref, il faut ajouter son grain de sel.

N'ayez pas peur de vous réapproprier votre cuisine et d'y passer du temps. Vous deviendrez un vrai pro et vous saurez que s'il n'y a plus

Comment remplacer les œufs dans une recette ?

d'œufs dans le réfrigérateur, vous pourrez les remplacer facilement par une autre option comme ¼ d'avocat en purée, ⅓ de banane en purée, 15 ml de graines de chia + 45 ml d'eau ou 60 ml de compote de pommes. Demandez-le à Google !

Ce n'est pas si facile, vous me direz, de trouver le temps et l'énergie pour cuisiner plus. L'organisation, la préparation à l'avance – ou le *meal prep* – et la planification des recettes devraient vous aider.

Certains décident de préparer un grand plat de crudités le dimanche en revenant de l'épicerie pour ainsi en avoir toute la semaine. D'autres se procurent des livres de recettes pour cuisiner en moins de 15 minutes. L'important, c'est de trouver des options qui vont avec votre mode de vie et que vous conserverez à long terme. Ainsi, cuisiner plus est une façon d'améliorer notre alimentation de façon positive puisque ce geste influence directement la qualité de nos repas, sans que nous ayons à restreindre les aliments que nous aimons !

Une étude s'est penchée sur le temps que nous consacrons à la cuisine. Le temps est un ingrédient essentiel favorisant la production de meilleures habitudes de vie chez l'adulte. Actuellement, on ne passerait en moyenne que 33 minutes par jour à la préparation des aliments ET au nettoyage de la cuisine et de la vaisselle. Le temps passé en cuisine est directement relié aux habitudes alimentaires. Les chercheurs ont montré que les individus qui consacraient le plus de temps à la préparation, à la cuisine et au nettoyage (soit plus de 2 heures par jour) consommaient systématiquement plus de fruits, de salade et de légumes que ceux qui y consacraient moins de 1 heure par jour. De plus, leur épicerie ne leur coûtait pas plus cher, soit entre 43 $ et 46 $ par semaine, mais ils dépensaient environ 8 $ par personne de moins au restaurant chaque semaine, ce qui peut représenter une économie substantielle de 1664 $ par année pour une famille de quatre.

8. REMPLIR SES ARMOIRES ET SON FRIGO AVEC BEAUCOUP D'ALIMENTS « QUOTIDIENS SAVOUREUX » ET QUELQUES ALIMENTS « OCCASIONNELS FESTIFS »

Remplir ses armoires de cuisine et son frigo de façon sensée est la clé du succès. En ayant à portée de main des crudités, du pain à grains entiers, une panoplie de fruits croquants et savoureux, du yogourt,

des épices et des vinaigrettes tentantes, mais également des aliments plaisir comme des biscuits ou de la crème glacée, vous mettez toutes les chances de votre côté pour vous aider à développer une relation saine avec la nourriture. D'abord, placez au premier plan les choix qui regorgent de vitamines, de minéraux et de fibres. Ensuite, ayez des aliments festifs à proximité pour satisfaire vos envies d'un petit dessert sucré ou salé. Vous pourrez donc choisir, souvent, des collations et des desserts pleins de nutriments et, à l'occasion, vos choix plus festifs ! Inconsciemment, vous retrouverez un bel équilibre dans votre alimentation sans avoir fait l'effort de vous restreindre, puisque vous aurez mis, encore une fois, l'accent sur le positif et le plaisir.

9. LAISSER SES ÉMOTIONS SE MÊLER DE LEURS AFFAIRES !

Avez-vous déjà entendu l'expression « Manger ses émotions » ? Probablement ! Quand vient le temps de manger, on ne devrait qu'écouter ses états de faim et de satiété. Les émotions ne devraient pas guider notre comportement alimentaire même si, trop souvent, la solitude, le stress, la colère ou même la joie s'emparent de notre fourchette et prennent le contrôle de ce que nous ingérons. Un environnement alimentaire positif ne renie pas pour autant les émotions, mais demande plutôt à mieux les canaliser pour éviter toute forme d'excès. Pour plus d'information, voir les pages 48 à 55 sur l'intelligence émotionnelle.

10. AVOIR UNE ATTITUDE POSITIVE ENVERS LA SAINE ALIMENTATION SERAIT PAYANT !

Halte aux régimes sans les 3P (pain-pâte-patate – ou sans les 4P comme j'aime les appeler où le dernier P est pour « plaisir ») !

On oublie les interdits et on fait plutôt place aux aliments plaisir. On retire les expressions « santé » et « tricher » de son vocabulaire et on axe sur le positivisme et la satisfaction.

Si je vous disais que l'attitude positive prédit la qualité de l'alimentation, vous trouveriez cela trop simpliste ? À ce sujet, une étude s'intéressant à la relation entre l'attitude du mangeur envers la saine alimentation et la qualité de celle-ci a démontré que les consommateurs ayant une attitude positive envers l'alimentation avaient une alimentation significativement de plus haute qualité que ceux qui avaient une attitude négative envers l'alimentation, et cela, indépendamment de leur statut économique. Ainsi, que l'on ait affaire à une personne aisée ou moins nantie, l'attitude envers l'alimentation saine a un impact positif sur la qualité du contenu du panier d'épicerie.

En alimentation, les conseils les plus simples sont souvent les meilleurs. C'est assez déstabilisant, mais cela fonctionne réellement ! Pourquoi vouloir chercher à manger XYZ nutriments ou n'importe quelle poudre ou substance douteuse alors que vous ne mangez même pas un minimum de cinq portions de fruits ou de légumes chaque jour ? Adoptez la base, puis consolidez vos acquis.

Finalement, avoir un regard plus positif sur vos aliments, votre poids et votre corps demeure la pierre angulaire de l'alimentation positive. Inclure graduellement ces 10 commandements vous mènera vers une alimentation moins anxiogène, plus libre et moins influencée par les émotions.

À BAS LES DIÈTES LIQUIDES AUX PROTÉINES !

DÉLAISSONS AUSSI LES SUBSTITUTS DE REPAS !

UN GROS X
SUR LES BARRES
AMAIGRISSANTES !

Chapitre VIII
Positivisme et optimisme

Contrairement à la pensée générale, un océan de différences sépare la pensée positive et l'optimisme. Surprenant, non ? Alors qu'on confond souvent ces deux termes en pensant carrément qu'ils sont synonymes, il y aurait également des différences notables quant à leurs effets respectifs sur la santé.

S'efforcer à voir le beau côté des choses serait le comportement typique relié à la pensée positive. Étrangement, c'est aussi le conseil classique qu'on donne souvent au moment le plus inopportun comme lors d'une rupture ou de l'annonce d'une maladie. Après tout, penser positivement pour mieux vivre semble plutôt intuitif. Par contre, alors que la recherche sur le sujet en est encore à ses balbutiements, la pensée positive n'aurait pas nécessairement les effets escomptés pour tout le monde.

Comment la pensée positive et l'optimisme diffèrent-ils ? La pensée positive comprend une variété d'hypothèses, de théories et de pratiques alors que l'optimisme peut être défini simplement comme l'espoir ou la confiance dans le futur et le succès de quelque chose.

Même si on pense de façon négative, on peut être optimiste. Ainsi, une personne peut ne pas aimer son corps, mais avoir confiance de pouvoir changer les choses en commençant à faire de l'activité physique. On peut ne pas aimer cuisiner, mais avoir confiance de pouvoir changer les choses en s'initiant tranquillement à la cuisine et en découvrant cet univers par l'entremise d'émissions culinaires ou par de beaux livres de recettes, mais aussi en commençant par s'équiper avec de bons outils. On gagne alors en confiance et en efficacité.

Le comportement optimiste aurait les effets les plus positifs puisqu'il ne voile pas de façon erronée la vérité sur la situation présente et augmente la capacité de faire face à une menace en encourageant notamment l'atteinte d'objectifs. L'optimisme aurait de multiples effets positifs entre autres sur la capacité à faire face à des menaces ou à des stress. Les optimistes auront tendance à affronter ces menaces, à s'engager dans l'accomplissement d'objectifs et à avoir une meilleure santé globale.

Les blogues peuvent également être une belle façon de se renseigner puisque les blogueurs culinaires adorent littéralement tout tester et tout essayer, que ce soit la dernière recette à la mode ou bien encore le dernier gadget du moment. Les commentaires sur ces blogues permettent également d'obtenir des conseils de la part du blogueur lui-même, mais aussi de sa communauté. C'est hyper motivant.

Je me rappellerai toujours l'engouement engendré par les publications de *Trois fois par jour* sur Facebook. En s'attardant aux commentaires de plus près, on peut voir que ce blogue a été le déclencheur chez plusieurs jeunes – et moins jeunes – pour apprendre à cuisiner et à élargir leurs horizons culinaires. C'est en fait un véritable phénomène de société et l'impact est réel. Plusieurs jeunes filles, dont certaines atteintes de troubles des comportements alimentaires, ont même avoué avoir commencé à s'intéresser à la cuisine et aux aliments grâce à ces publications.

Cet exemple est le premier qui m'est venu en tête à l'ère des technologies 2.0, mais il prouve qu'un modèle influence grandement et positivement la norme sociale et permet d'amorcer des changements de comportement. De plus en plus de blogues de cuisine intègrent davantage des approches alimentaires diversifiées. La relation avec la nourriture s'est donc améliorée grâce à un modèle prônant de belles photographies inspirantes, des expériences drôles et attachantes reliées à l'exercice de la cuisine, à la découverte d'aliments peut-être encore méconnus et grâce à l'appui d'une communauté engagée fière de partager ses créations sur les médias sociaux.

UTILISER UN VOCABULAIRE PLUS POSITIF POUR PARLER DES ALIMENTS QU'ON MANGE

Il est rare qu'il soit écrit dans un menu de restaurant : « Gros hamburger gras dégueulasse et pas bon pour la santé ». On lira plutôt : « Burger gourmet avec cheddar vieilli et bacon laqué à l'érable, le tout servi avec oignons frits, aïoli parfumé et laitue fraîche et croquante ».

Pour savourer davantage nos plats, pourquoi ne pas utiliser la même approche ?

TABLEAU 8
40 MOTS UTILES ET JUSTES POUR DÉCRIRE LA NOURRITURE

ACERBE	aigre et âpre.
ACIDE	qui est piquant au goût, qui a un goût acidulé.
ÂCRE	qui est très irritant au goût ou à l'odorat, au point de brûler, de prendre à la gorge.
AÉRIEN	qui est léger comme l'air, à l'opposé de dense (ex. : un gâteau des anges).
AIGRE OU SUR	qui a un goût acide, tels un citron ou du vinaigre.
ALLÉCHANT	qui allèche, qui fait espérer quelque plaisir.
AMER	qui produit au goût une sensation caractéristique le plus souvent désagréable (ex. : la bile), parfois stimulante (ex. : l'écorce de citron, les endives, etc.).
ASTRINGENT	de goût ou d'odeur âpre.
CARAMÉLISÉ	qui a le goût du caramel ou du sucre brûlé. La texture peut être craquante sous la dent.
CROQUANT	qui croque sous la dent, croustillant (ex. : un céleri).
DE CHOIX	qui est de qualité supérieure, raffiné, excellent ou bien sélectionné.
DÉLECTABLE	dont on se délecte, qui est délicieux, goûteux, qui fait saliver.

DÉLICIEUX	qui est extrêmement agréable, qui procure des délices.
DIVIN	cuisine qui est à la hauteur des dieux.
DOUX	qui est sucré, en harmonie avec le reste du plat.
ÉPICÉ	qui est relevé par des épices, piquant.
FORT	qui est très goûteux, très assaisonné et dont la saveur est intense. Peut aussi s'appliquer à l'odeur d'un mets.
FRUITÉ	qui rappelle les fruits par son goût ou son odeur.
FUMÉ	qui a un arôme ou une odeur de fumée de feu (ex.: saumon fumé).
GOÛTEUX	dont la saveur est prononcée.
IRRÉSISTIBLE	à quoi on ne peut résister.
JUTEUX	qui contient beaucoup de jus, qui est tendre et humide, mûr.
MIELLEUX	qui est sucré, sirupeux, confit, doux.
MOELLEUX	qui est doux et mou au toucher, agréable au palais.
MORDANT	qui donne une impression de morsure.
ONCTUEUX	se dit d'un aliment à la texture douce et moelleuse.

PARFUMÉ	qui est à une certaine saveur (ex.: une glace parfumée à la pistache).
PIQUANT	qui est épicé, poivré, dont la saveur est forte, qui donne une sensation de brûlure dans la bouche.
RELEVÉ	qui est épicé ou piquant.
RICHE	qui rappelle l'abondance et la lourdeur, qui est copieux.
SALÉ OU SALIN	qui goûte le sel, qui est préservé dans le sel ou qui en contient.
SAPIDE	qui a du goût, de la saveur. C'est le contraire d'insipide.
SAUMÂTRE	qui est constitué d'un mélange d'eau douce et d'eau de mer, qui a un goût salé.
SAVOUREUX	qui a beaucoup de saveur ou qui a une saveur agréable, riche et délicate.
SEC	qui est peu humide, qui ne contient pas de liquide ou qui est déshydraté. Peut aussi être utilisé pour un aliment qui n'est pas sucré.
SUCCULENT	qui a une saveur délicieuse, qui offre un plaisir à manger. Souvent dit d'un aliment sucré et qui fait saliver.
SUCRÉ	qui a le goût du sucre, à l'opposé du salé.
TENDRE	qui oppose peu de résistance sous la dent.
VELOUTÉ	qui est doux et onctueux au palais, dont la douceur rappelle le velours.
VINAIGRÉ	qui est conservé ou assaisonné avec du vinaigre, du sel et des épices.

Chapitre IX
Se motiver

Probablement la tâche la plus ardue qu'il vous soit demandée dans ce livre. La motivation n'apparaît pas instantanément. Ce n'est pas magique non plus. Je le sais, j'ai essayé !

Se motiver à bien manger et entretenir une relation saine avec la nourriture dans un esprit de « Oui ! Tout est permis » est l'étape qui vous affranchira de vos vieux démons en lien avec la nutrition, car se motiver passe inévitablement par s'instruire, par démentir certaines idées préconçues en cherchant des réponses crédibles, par la découverte de nouveaux aliments, de nouvelles techniques culinaires et de nouvelles sources de plaisir. **Bref, se motiver, c'est aussi apprendre.**

Apprendre sur nous bien évidemment, mais aussi sur les autres. Les motivations ne sont pas qu'intrinsèques ; elles peuvent être extrinsèques. Voici quelques définitions concernant la motivation qui permettront de mettre la table à ce délicieux chapitre.

LA MOTIVATION INTRINSÈQUE : Elle vient de l'intérêt et du plaisir que l'individu trouve à l'action, sans attente de récompense externe.

LA MOTIVATION EXTRINSÈQUE : Une circonstance extérieure à l'individu (punition, récompense, pression sociale, obtention de l'approbation d'une personne tierce...) motive son action ou son comportement.

Ces deux types de motivations sont complétés par un troisième état : l'amotivation. Même si Word et Antidote ne reconnaissent pas l'amotivation comme étant un mot et le soulignent en rouge, il n'en demeure pas moins qu'en psychologie, on s'y réfère souvent. C'est lorsqu'un individu a le sentiment d'être soumis à des facteurs hors de tout contrôle – tiens, tiens, encore une référence au contrôle. Il est vraiment caché partout celui-là ! L'amotivation se distingue de la motivation extrinsèque par l'absence de motivation liée au sentiment de ne plus être capable de prévoir les conséquences de ses actions. Bref, on préférerait nettement être absent le jour où l'amotivation sonne à la porte, car il n'y a plus rien qui vaille quand elle débarque !

Explorons le thème de la motivation et de l'autorégulation dans un contexte de gestion du poids et de consolidation des saines habitudes alimentaires. Personne ne s'opposera si je vous dis que la motivation est l'un des facteurs prédictifs du succès de toutes les démarches qui seront entreprises.

Mais la motivation n'est pas le seul facteur qui permet de réussir un changement de comportement à long terme. Des chercheurs ont conclu que des interventions réussies sur le mode de vie utilisaient diverses techniques comportementales pour atteindre les objectifs, dont l'autosurveillance, la modélisation, la restructuration environnementale, ainsi que le soutien de groupe et individuel. Le concept de motivation ne faisait pas partie de cette liste. Par contre, on comprend qu'il est le *driver* – ou facilitateur, en français – le plus puissant qui sous-tend même plusieurs des techniques précédemment mentionnées. En effet, la motivation apparaît toujours comme le point de départ.

LA MOTIVATION EST-ELLE QUANTITATIVE OU QUALITATIVE ?

La science s'attarde souvent au niveau de motivation. Qui dit niveau dit aussi quantité. Mais peut-on réellement quantifier la motivation ? Est-ce quelque chose de tangible ? À mon avis, non. La motivation est celle qui vous fera vous lever de votre divan pendant un épisode de *District 31* pour aller faire du jogging. C'est ce petit soubresaut au niveau du cœur qui vous dit « hop ! ». C'est la première goutte d'eau dans un moulin qui fera partir les turbines. On ne peut pas vraiment quantifier la motivation, mais on peut la sentir. On peut la définir par ses actions, ou ses inactions.

Lorsqu'on parle de l'augmentation et/ou du maintien du niveau de motivation, c'est-à-dire de la motivation au niveau **quantitatif**, on peut créer des stigmates importants, car réduire la motivation à sa dimension quantitative pourrait constituer un facteur limitant important dans le succès des interventions en nutrition et plus particulièrement lorsqu'il est question du poids corporel. Il est trop facile de dire « Je ne suis pas motivé » ou « Je suis motivé », mais le prouver et le montrer par des actions concrètes, ça, c'est plus difficile !

La source et la nature de la motivation pour amorcer ou consolider des changements positifs dans son alimentation pourraient changer sensiblement au fil du temps. C'est pourquoi on parle davantage de la motivation comme étant qualitative. Examiner la **nature** des objectifs et la **qualité** de la motivation derrière le désir de manger sainement peut s'avérer utile dans plusieurs facettes de sa vie.

Est-ce le risque associé à un problème de santé qui court dans votre famille ? Est-ce pour plaire ? Est-ce pour vous sentir plus séduisant ? Est-ce pour des critères purement physiques/esthétiques ? Est-ce pour le plaisir ?

Par exemple, quelle signification associez-vous à l'adoption d'un nouveau régime alimentaire ? Qu'est-ce qui pourrait vous pousser à changer vos comportements alimentaires ? Est-ce pour vous ? Si oui, pourquoi le faites-vous pour vous ? Trouvez la vraie raison. Le faire pour soi, c'est bien, mais c'est aussi mentir – partiellement – à soi-même. Il y a toujours une raison plus forte, ancrée en vous et c'est elle qu'il faut être capable de nommer.

QUE FAIRE QUAND ON PERD SA MOTIVATION ?

Pourquoi certaines personnes « perdent-elles leur motivation » et d'autres pas ? Pourquoi certains individus ont constamment l'impression d'avoir échoué – la plupart du temps, ces individus abandonnent rapidement leurs démarches – alors que, malgré l'amélioration de leur mode de vie, de leurs compétences et de leur santé, ils n'arrivent pas à voir les bénéfices ? Qu'est-ce qui fait la différence entre les formes de motivation auto-entretenues et les comportements associés ?

L'AUTODÉTERMINATION désigne un type de motivation où un comportement est motivé par l'autonomie personnelle, c'est-à-dire la mesure dans laquelle un comportement ou une ligne de conduite est personnellement approuvé et engagé avec un sentiment de choix et de volonté par opposition à un besoin de se conformer à des pressions et des tensions. Ces dernières se manifestent souvent par des expressions comme « je devrais » ou bien « je dois ». Tsé, vous vous rappelez le langage réactif... ?

Les activités comportementales associées à des objectifs extrinsèques – par exemple, perdre du poids pour plaire – ont tendance à être contrôlées par des raisons régulatrices.

À l'inverse, des objectifs intrinsèques, comme chercher à demeurer en santé ou à améliorer sa confiance en soi, ont tendance à être directement liés à la satisfaction des besoins psychologiques de base et sont généralement régulés par des formes de motivation plus autonomes. En effet, dans la théorie de l'autodétermination, le concept d'autonomie est essentiel pour comprendre la poursuite de l'objectif et pour saisir pourquoi tous les objectifs ne sont pas égaux. L'autodétermination est vue comme un besoin psychologique inné et universel. C'est la raison pour laquelle le fait de se sentir autonome, efficace et optimal dans ses activités est considéré comme une valeur intrinsèque des plus importantes et essentielles au bien-être et à la pérennité du comportement.

Explorer le degré d'autonomie associé à nos choix et à nos comportements fournit une **caractérisation qualitative** de la motivation, avec des implications potentiellement importantes pour la compréhension et la promotion du comportement et, en particulier, son **maintien**. Demandez-vous qui est le réel pilote de ces changements. Est-ce bien vous ?

Qu'est-ce qui est le plus important : le résultat final ou le processus ?

Une attention particulière sur le résultat comme étant la seule mesure du succès peut parfois poser des problèmes. Premièrement, en ne mettant l'accent que sur les résultats, on tend à minimiser l'importance du processus – ici, manger sainement et pour le plaisir. Or, le processus qui mène aux résultats est en soi une source de plaisir, un monde à découvrir.

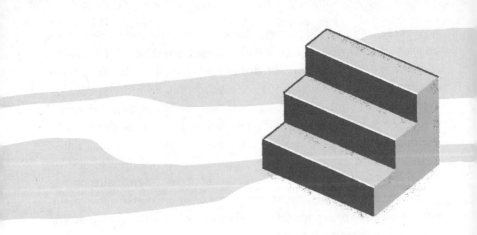

Il est beaucoup plus valorisant et motivant de réussir le processus que de réussir tout court.

Deuxièmement, une vision axée uniquement sur les résultats implique que les changements apportés au mode de vie peuvent être amoindris ou carrément arrêtés lorsque les résultats ne répondent pas aux attentes initiales, lorsqu'ils prennent trop de temps à arriver ou tout simplement lorsqu'ils n'ont pas été atteints. Il y a alors un risque de dérive si d'autres objectifs ne sont pas concrètement mis en place.

Par exemple, ajouter plus de légumes dans son assiette ne devrait pas être un objectif valable seulement pour quelques mois, mais bien se transformer en une habitude de vie. Le processus pour y arriver inclura notamment la recherche de nouvelles recettes où les légumes seront les véritables vedettes de l'assiette, la découverte de nouveaux produits ou de nouvelles techniques de cuisson, la visite d'épiceries fines ou de marchés publics, l'achat d'ustensiles ou de petits appareils électroménagers qui faciliteront la préparation des légumes, etc.

Tout miser sur l'atteinte de résultats rapides peut même entraîner des problèmes. Par exemple, des changements de mode de vie agressifs – comme l'adoption d'un régime très faible en calories ou d'un régime réduit en glucides – sont moins susceptibles d'être explorés pour leur intérêt inhérent et ne sont évalués que pour leurs résultats. « WOW, la nouvelle diète XYZ permet de perdre 10 livres la première semaine ! » Or, un contrôle rigide du comportement alimentaire est inversement relié au succès en matière de gestion du poids. Du point de vue de la théorie de l'autodétermination, la pensée et les comportements rigides sont considérés comme des réponses inadaptées à des conditions dans lesquelles les besoins fondamentaux ne sont pas satisfaits. Ils peuvent fournir un sentiment illusoire de contrôle lorsque la préservation de l'estime de soi et l'évitement de la culpabilité sont les principaux stimulants du comportement.

Le processus d'adoption du nouveau comportement – comme développer un intérêt réel pour la cuisine et les aliments – est souvent relégué aux oubliettes et on ne s'attarde qu'aux résultats anticipés, soit bien manger. On semble donc dépendre du résultat pour continuer à investir de l'énergie dans le processus et, à la moindre dérive, on n'y croit plus. C'est pourquoi il ne faut jamais oublier son parcours, ses objectifs et ses efforts, car croire en soi est plus important que de croire aux résultats.

Bref, il est important de prendre son temps lorsqu'on travaille sur son alimentation. On ne peut espérer avoir une alimentation parfaite du jour au lendemain. Il faut aussi mettre de côté son obsession du poids et des formes corporelles idéales afin de se concentrer davantage sur les solutions et le processus. Il faut parfois aller plus loin que simplement associer « aliments interdits » et « restriction cognitive ». Dans la plupart des cas, il faut se débarrasser d'une parcelle de notre vie intérieure qui est insatisfaisante. Il faut faire des choix, outre que dans le domaine de l'alimentation, car un esprit sain dans un corps sain n'est pas seulement qu'un vieux dicton. L'esprit et le corps rassemblés forment une synergie. Lorsqu'une personne est bien dans sa peau, il est peu probable qu'elle soit sous l'emprise de la restriction cognitive.

Chapitre X
Alimenter le plaisir

MODÉRATION OU SATISFACTION ?
LA QUESTION PEUT – ET DOIT – SE POSER

On a longtemps vanté les grands principes de la modération où tout peut être consommé « modérément » dans l'alimentation, y compris les aliments plaisir. Les messages de modération sont plutôt moralistes. De plus, la modération ne se traduit pas nécessairement bien lorsqu'on la transpose aux aliments. Comment peut-on la définir adéquatement ?

Pour les uns, piger dans le sac de chips est synonyme de modération, alors que, pour d'autres, terminer ledit sac est aussi synonyme de modération. La modération ne prend pas en considération le facteur « temps », pas plus qu'il ne dicte les quantités. Là où on trouve la modération, on trouve aussi la notion de contrôle. Ces termes sont foncièrement négatifs.

On définit la modération comme étant un comportement éloigné de tout excès où l'on compte parfois – même inconsciemment – les calories. Et quand on demande à quelqu'un de compter les calories, le plaisir est directement mis à l'épreuve ! L'idée qui se cache derrière ce concept est que si on se laisse tenter moindrement par le plaisir, on va manger jusqu'à exploser !

En nous imposant des valeurs numériques pour définir et quantifier notre alimentation, nous suivons des règles externes, alors que pour manger sainement, nous devrions plutôt suivre des règles internes en apprenant comment notre corps fonctionne. C'est en s'intéressant aux aliments et à la cuisine plutôt qu'aux diètes qu'on en apprend le plus sur soi et sur sa relation à la nourriture. On sent, on expérimente, on teste, on rit, on découvre, on joue et on apprend.

COMMENT DÉCRIRAIS-TU UN SAC DE CHIPS ?

Décrire de la nourriture peut s'avérer une tâche ardue. Des chips sont des chips. Certes, mais au-delà du fait de les manger, il y a tout un

univers conceptuel qu'on peut définir. L'acte de manger joue un rôle important dans la représentation des concepts entourant l'alimentation et c'est encore plus vrai lorsqu'il s'agit d'aliments plaisir. Par contre, d'autres dimensions peuvent être considérées, comme leurs teneurs en nutriments et les effets sur notre corps, l'hédonisme, les fonctions sociales ou culturelles.

En prenant le temps de décrire la nourriture, on peut améliorer sa relation avec l'alimentation. Du même coup, ce jeu permet de s'arrêter un moment pour analyser l'aliment. Cette pause calme les pulsions et permet d'étudier quels aspects des aliments nous recherchons avant tout. Cela permet de découvrir des aliments de la même famille ou qui ont des profils de goût similaires ou des caractéristiques communes.

Pour ma part, je décrirais les chips de la manière suivante :

Le sac est énorme. Il est rempli d'air.

L'odeur est forte, musclée, salée et dégage des arômes de ketchup. Mais tiens, je réalise que ça ne sent pas réellement le ketchup ni les tomates.

Les chips sont sèches. Leur texture est légèrement graisseuse. Leur forme est ronde ou ovale et est plutôt irrégulière. Certaines sont en morceaux.

Les chips croustillent et sont croquantes.

Les chips sont denses en énergie et riches en sodium. Elles sont dépourvues de la plupart des vitamines.

Je consomme souvent des chips lors de fêtes ou lors des soirées cinéma le vendredi soir. Elles me rendent heureux au début, car il y a une explosion de saveurs en bouche. Par la suite, je continue de les manger par habitude, simplement parce que le sac est entamé – ou pour vider le bol.

Les chips ne sont pas à bannir de son alimentation, mais il faut apprendre à en manger jusqu'à l'atteinte de la satisfaction. Si je suis satisfait, j'arrête. Si je persiste et je continue à manger, c'est qu'il y a anguille sous roche : ce qui me pousse à manger est probablement externe et n'est pas – ou est peu – influencé par mes besoins physiologiques.

QUE PENSER DES CALCULATEURS DE CALORIES ?

Alors que nous sommes déjà bombardés de régimes miracles et de diètes révolutionnaires, la technologie nous arrive avec des applications pour promouvoir encore plus la perte de poids. Dans cet élan, les calculateurs de calories sont nombreux sur le marché et leur utilisation est très répandue. Pourtant, devrait-on les utiliser ?

Statistique Canada déclarait que des erreurs s'étaient glissées dans les données recueillies servant à l'estimation des calories consommées par les Canadiens. Entre 2004 et 2015, une baisse de consommation estimée à environ 250 calories par jour a été déclarée par l'organisme. Une telle variation aurait dû entraîner un déclin considérable dans le poids des répondants, mais rien de tel n'a été observé.

Statistique Canada considère donc que le calcul des calories consommées n'était pas exact en raison du niveau de précision. En effet, plusieurs erreurs peuvent venir se glisser dans le calcul et affecter le nombre final... et les résultats prédits !

Les applications ou logiciels de calcul des calories ont des aliments en banque et lorsque vient le moment d'en sélectionner un, il faut choisir l'aliment qui correspond le mieux à celui qu'on a ingéré. Toutefois, les macronutriments peuvent grandement varier d'une marque à l'autre et d'un pays à l'autre. Le degré de maturité des fruits et des légumes ainsi que la coupe de viande peuvent également faire varier le nombre de calories des aliments.

Un autre problème majeur dans le calcul des calories est le manque de précision lorsqu'on entre les quantités d'aliments consommés dans les applications et les logiciels. Les aliments sont-ils quantifiés avec des tasses à mesurer ou une balance de cuisine ? Sont-ils tout simplement estimés ? La personne entrant les valeurs joue un grand rôle dans la précision des résultats et une mauvaise estimation ruinera la pertinence du calcul.

Il importe de savoir que les besoins énergétiques sont basés sur des équations, en fonction de notre âge, de notre sexe et de notre dépense énergétique. Ces équations offrent ensuite une estimation de ce que l'on devrait manger. Vous me voyez venir... Encore des estimations qui laissent place aux imprécisions !

Finalement, l'efficacité de notre corps à digérer, à absorber et à utiliser les nutriments consommés est influencée par le métabolisme de chacun. Ainsi, deux personnes du même âge, du même sexe et étant également actives ne réagiront pas de la même manière à une alimentation identique.

Calculer ses calories peut mener tout simplement à ne plus écouter ses signaux de faim et de satiété, nos meilleurs alliés pour la perte ou le maintien d'un poids santé. Il est bénéfique pour chacun de manger à sa faim et d'arrêter lorsqu'il se sent satisfait, et non pas de manger jusqu'à l'atteinte d'une cible pour les macronutriments et/ou d'arrêter lorsque sa « banque de calories » est à sec.

Bref, il est très difficile d'estimer les calories consommées adéquatement. De plus, une diète faible en calories n'est pas gage de santé et la qualité de l'alimentation est trop souvent sous-estimée dans ce genre de pratique. Un régime diversifié, coloré et surtout composé d'aliments frais sera toujours bénéfique pour la santé, peu importe les calories apportées.

VIVE LA SATISFACTION !

J'ai tellement de plaisir lorsque j'ouvre un sac de café frais que je me suis procuré à ma petite brûlerie du coin et lorsque je hume tous les arômes qui s'en dégagent. J'ai autant de fun à préparer mon shot d'espresso et à le voir couler. Encore une fois, l'odeur qui s'échappe ne fait qu'accroître mon anticipation. Je prends plaisir également à faire mousser mon lait puis à tenter de dessiner une tulipe dans mon café avec des techniques plutôt malhabiles de latte art, en me disant qu'un jour, je réussirai à la perfection comme le font les baristas que je connais. Le paroxysme : quand je porte ma tasse à mes lèvres et que je bois ma première gorgée. Je suis alors satisfait.

La satisfaction naît à la suite d'un plaisir. On fait donc référence à une expérience positive et contrairement à la modération, qui est la résultante d'un self-control, il est possible de s'entraîner à être satisfait.

La catégorisation des aliments comme étant bons ou mauvais n'est plus envisageable aujourd'hui. Une nouvelle classification, en trois catégories, convient beaucoup mieux : les aliments à privilégier, ceux qualifiés d'occasionnels, puis les exceptions.

Cette catégorisation est bien, mais a elle aussi ses limites. C'est bien de manger « santé » selon la définition qui vous convient, à vous et selon vos valeurs, mais il est encore plus important d'avoir le portrait global. Par exemple, on suggère que les poissons frais font partie des aliments à privilégier alors que les poissons frits – comme les bâtonnets de poisson ou le *fish & chips* – sont des aliments d'exception.

Or, il se peut que vous n'aimiez pas tant le poisson, mais que vous raffoliez d'un bon *fish & chips* une fois de temps en temps. Se tourner vers un plat dans la catégorie « à privilégier » semble une bonne idée de prime abord, même si la composante plaisir sera moindre. Toutefois, la satisfaction ne sera peut-être pas non plus au rendez-vous et en optant pour votre repas « santé », vous aurez complètement modifié – sans le savoir – la teneur en gras de votre repas et le choix de vos accompagnements, ce qui fait que vous serez peut-être moins repu. Il se peut donc que vous cédiez plus facilement à la Kit Kat[MD] qui croisera votre chemin.

Par contre, le point positif : comme on peut s'entraîner à être satisfait, on peut par conséquent apprendre à cuisiner le poisson plutôt que d'utiliser une friteuse ou faire réchauffer des bâtonnets congelés. On peut trouver une recette de sauce gourmande qui accompagnera à merveille le poisson et chercher à inclure un accompagnement original. On peut prendre plaisir à flâner à la poissonnerie et demander des suggestions au poissonnier. On peut aussi découvrir des espèces jusqu'alors inconnues et ainsi élargir ses horizons.

Tout comme pour le café et ses arômes, on cherchera à créer une véritable expérience positive entourant non seulement l'acte de manger, mais tout ce qui précède.

Pour ma part, je n'ai jamais raffolé du poisson. JA-MAIS. Ce fut très difficile pour moi, l'héritier d'un p'tit gars de la Côte-Nord qui vient d'un village côtier où la pêche est l'une des principales activités économiques de la région, d'apprendre à apprécier le poisson. C'était viscéral : je n'aimais pas l'odeur, le goût, le produit lui-même, les souvenirs y étant rattachés (dont une fois où l'on m'a amené à la pêche, sans succès) et visuellement, c'était plutôt bah ! Un jour, je me suis rendu à l'évidence, je devais peut-être reconsidérer mes idées préconçues envers le poisson et laisser mon orgueil de côté.

Étant nutritionniste, je connaissais très bien les avantages reliés à la consommation de poisson, mais je restais dans une phase de contemplation – l'étape 2 parmi les 6 stades du changement (présentés aux pages 108 à 114), qui est caractérisée par un état d'ambivalence. Je verbalisais mes inquiétudes facilement et j'avais en tête des moyens pour régler le problème. Il ne me manquait qu'un petit coup de pouce. Tranquillement, je m'y suis exposé et je m'y suis intéressé. Cela a pris plus qu'une journée... On parle d'un processus qui s'est échelonné sur plusieurs mois, mais aujourd'hui, j'aime le poisson et je prends même plaisir à le cuisiner – merci Ricardo pour ta recette de saumon BBQ qui a grandement contribué à raviver mon intérêt pour le poisson ! Aujourd'hui, je ne trouve plus que le poisson pue, j'aime son goût, aussi bien cuit que cru dans un tartare ou un *poke bowl*, et j'aime retourner à Havre-Saint-Pierre et y retrouver ma grand-mère afin de partager un repas de poisson avec elle. Ne me reste plus qu'à réessayer la pêche !

Les étapes du changement de comportement de Prochaska sont en fait un modèle en six concepts-clés – qui peut aussi être appliqué à l'alimentation – et qui permet de passer de l'intention à l'action et de l'action aux résultats. En lisant les 6 étapes du changement et en prenant soin d'identifier un facteur que vous désirez changer ou améliorer dans votre alimentation, vous vous reconnaîtrez facilement et serez capable de vous situer.

LES 6 ÉTAPES

DU CHANGEMENT

Les étapes ne sont pas toutes linéaires, mais on doit toutes les franchir dans l'ordre, afin de bien intégrer le changement.

1. La précontemplation
2. La contemplation
3. La décision et la détermination
4. L'action
5. Le maintien
6. L'accomplissement – ou la chute

1. LA PRÉCONTEMPLATION

Cette étape précède la phase de contemplation, comme l'indique son préfixe. Être contemplatif, c'est regarder avec attention et longuement. Avant de regarder, il est difficile de s'apercevoir d'un problème ou d'un besoin de changement au niveau de ses habitudes. On ne le reconnaît tout simplement pas. On nage dans l'inconscience.

Il peut également y avoir un fort état de résistance au changement, caractérisé notamment par une absence totale du désir de vouloir changer quoi que ce soit dans un avenir rapproché. On pense qu'on n'a pas besoin de changer, que ça ne sert à rien ou que c'est seulement pour les autres. Cette étape n'est pas très positive. On nie parfois la réalité et on préfère vivement l'évitement. Par contre, c'est à ce stade-ci qu'on plante une graine – comme une graine de basilic – et que celle-ci poussera dans les jours à venir.

Pour avancer afin de franchir la prochaine étape :

- Prendre conscience de ses comportements.
- S'inspirer des autres et ne pas hésiter à s'informer auprès de ses amis, de ses collègues et de sa famille.
- Visionner des documentaires ou lire de bons livres de référence.
- Assister à une conférence inspirante qui donne le goût de changer, de se motiver et de passer à l'action.
- Accepter la responsabilité du changement.

Faire une liste des avantages et des désavantages du changement *versus* le statu quo et analyser les résultats. Cette liste est un atout précieux. Conservez-la et, une fois les comportements modifiés, vérifiez si les avantages qui y étaient énumérés se sont réalisés.

2. LA CONTEMPLATION

Si vous lisez ce livre, c'est que vous êtes probablement déjà rendu au stade de la contemplation. Vous êtes conscient des effets positifs que certains changements au niveau de votre alimentation ou de vos habitudes de vie pourraient avoir sur vous, mais des questions demeurent. Vous songez sérieusement au changement, mais n'êtes pas encore prêt à 100 % à vous engager complètement. Vous vous demandez ce que cela vous apportera et aussi quels seront les efforts à déployer pour y parvenir. Vous voyez encore deux ou trois inconvénients qui vous font hésiter, mais ça commence à vous travailler. Vous êtes encore un peu trop réactif et pas assez proactif. Peut-être faut-il réviser vos objectifs à cette étape et les revoir à la baisse ? Le bond sera moins grand et peut-être que c'est exactement ce qu'il faut. Rares sont ceux qui choisissent d'affronter l'Everest sans avoir tout d'abord atteint le sommet de plus petites montagnes. À ce stade-ci, il ne vous en manque vraiment pas gros pour faire le saut et voir les premières pousses de basilic – encore fragiles – sortir de terre.

Pour avancer afin de franchir la prochaine étape :

- Sortir la liste des avantages et des désavantages du changement et la laisser traîner. Ajoutez-y des points lorsque vous en aurez de nouveaux.
- Évaluer rationnellement les options. Rappelez-vous qu'il peut toujours y avoir d'autres options. Biffez celle que vous avez et forcez-vous pour en trouver une nouvelle. L'adoption du changement pourrait se faire par l'ajout ou la combinaison de plusieurs options.
- Prendre une décision claire et planifier le changement en se fixant des objectifs facilement atteignables – et mesurables. Mettez les choses en place !
- Signer un contrat avec soi-même et s'engager dans le changement.
- Partager la décision avec sa famille et ses proches. Vous serez alors plus enclin à faire des efforts pour adopter le nouveau comportement. Et si votre démarche influençait positivement l'un de vos proches ? Ce serait plutôt génial, non ?

3. LA DÉCISION ET LA DÉTERMINATION

C'est ici que ça commence. Les intentions et l'action se rencontrent et vous êtes fin prêt à poser vos premiers gestes pour amorcer le changement. Vous optez pour un langage proactif. Tout va bien et bravo ! C'est déjà un énorme pas de franchi. Tous les facteurs sont réunis pour que les petites pousses deviennent rapidement un joli plant de basilic vigoureux.

Pour avancer afin de franchir la prochaine étape :

- Consolider la décision et poser des gestes concrets directement en lien avec ce que l'on désire améliorer/changer dans ses habitudes alimentaires. Par exemple, si vous désirez réduire votre consommation de boisson gazeuse, car ces dernières sont excessivement riches en sucres simples, trouvez des solutions de rechange plus saines ou moins sucrées. Notez les moments où vous flanchez (un arrêt à la station-service, un repas express dans une foire alimentaire au centre commercial, un vendredi soir pour accompagner la pizza, etc.) et vous trouverez peut-être plus facilement les déclencheurs du « mauvais » comportement.
- Établir un plan d'action concret qui comprendra notamment une liste de ses priorités.

4. L'ACTION

Ce stade est celui qui est le plus actif. Vous amorcez le changement et parfois, cela vient avec des modifications au niveau de vos attitudes et de vos croyances en lien avec l'alimentation. Vous posez des gestes concrets pour restructurer et améliorer votre environnement alimen-taire, ce qui facilitera grandement le changement. Vous êtes empreint de positivisme et de motivation, même si s'investir pleinement dans cette étape demande beaucoup de temps et d'énergie. Les gens commencent également à remarquer le changement et un véritable sentiment de fierté s'installe. Les feuilles poussent les unes après les autres et votre plant de basilic est plus fort, plus vigoureux que jamais.

Pour avancer afin de franchir la prochaine étape :

- Consacrer son temps et son énergie. En effet, les changements dans sa manière de penser ne viennent pas seuls. Il faut aussi que l'environnement subisse des transformations positives pour consolider les changements.
- Faire de l'autorenforcement. Accordez-vous du crédit pour vos réussites et fêtez ! Cherchez quelque chose qui vous fait réellement plaisir. Peut-être que ce sera une coupe de vin millésimé lors d'un souper en amoureux ou entre amis,

l'inscription à un cours de groupe, l'achat d'un nouveau livre, une excursion, un nouveau t-shirt à la mode que vous vouliez tant, un concert. Bref, l'important est de se récompenser.

- S'entourer ! Le soutien social est primordial pour maintenir les changements dans le temps. Apprenez à toute votre famille à « parler positif » et vous verrez que la phase de maintien sera un jeu d'enfant.

5. LE MAINTIEN

On parle de maintien lorsque le changement est réussi et perdure depuis plus de six mois. Votre comportement est stable et tout va bien. La routine, quoi ! À cette étape, si tout va bien, on peut réviser les objectifs à la hausse. Par contre, si certaines feuilles de votre plant jaunissent, commencent à faner ou manquent d'éclat, cela pourrait interférer avec la stabilisation du comportement et nuire à votre quête ultime : préserver le changement à long terme. Rappelez-vous que cela en vaut la peine, même si c'est un peu plus dur que vous ne l'imaginiez au départ. Peut-être votre plante a-t-elle besoin d'un peu d'eau, de soleil, d'engrais ou d'amour ?

Pour avancer afin de franchir la prochaine étape :

- Ne pas vivre dans le déni. Il y aura certainement des obstacles. Êtes-vous capable de les identifier ? Référez-vous à votre liste des désavantages que vous aviez notés précédemment. Ils sont probablement les obstacles les plus évidents, puisque ce sont ces mêmes obstacles qui vous empêchaient d'amorcer les changements. Les avez-vous tous surmontés ? Éprouvez-vous encore des difficultés avec quelques-uns d'entre eux ?

6. L'ACCOMPLISSEMENT – OU LA CHUTE

L'accomplissement est l'étape la plus merveilleuse et la plus positive. Elle est marquée par une sensation de fierté et vous ne pourriez imaginer retourner en arrière. *Exit* les envies ou les tentations et bienvenue aux nouvelles habitudes pleinement ancrées dans votre nouveau mode de vie. Soyez fier de vous – et encore plus si cette habitude est désormais acquise après plusieurs cycles de changement. Votre basilic offre désormais tout ce qu'il a de meilleur et ses fleurs sont remplies de nouvelles graines prêtes à être semées.

Si c'est plutôt une chute – ou une rechute – qui survient à cette étape, ne soyez pas déçu. O.K. Soyez-le peut-être un petit cinq minutes, mais ressaisissez-vous. Les chutes arrivent, même aux plus forts. C'est une étape temporaire qui ne devrait pas être confondue avec la fin, mais plutôt être perçue comme un léger détour. C'est le moment de revenir plus fort et d'être positif. Si j'ai appris quelque chose à propos du basilic, c'est que lorsqu'on lui coupe une tige, deux nouvelles pousseront. Il se formera alors des ramifications et le basilic sera plus fort qu'avant et sera beaucoup plus garni. Et si on guette le moment où les deux nouvelles pousses apparaîtront sous chacune des nouvelles tiges, on pourrait passer de deux nouvelles tiges à quatre. Ne laissez donc pas votre basilic mourir, car il y a toujours une façon de le rattraper – et de manger du pesto toute l'année !

Pour avancer afin de franchir la prochaine étape :

- Se rappeler que les choses apprises et les expériences vécues lors du dernier cycle de changements sont de bonnes bases si, malheureusement, on doit passer de la rechute à la précontemplation ou à la détermination.
- Se laisser du temps. Méditer.

Chapitre XI
Rapatrier les aliments plaisir dans son assiette

On a tous des petits plaisirs du côté alimentaire, c'est-à-dire qu'on est tous attirés par des aliments qu'on classifie comme étant peu nutritifs, « bons pour le moral », sucrés/salés, réconfortants ou qu'on voit comme des aliments-récompense. Les aliments ne devraient jamais être vus comme des récompenses.

EN SE RÉCOMPENSANT AVEC DES ALIMENTS :

- On s'encourage à trop manger.
- On contribue à développer une relation malsaine avec la nourriture.
- On crée de la confusion, car certains messages ou notions entourant la saine alimentation ne tiennent plus la route et se contredisent.
- On mange parfois en l'absence de faim.
- On favorise la préférence pour des aliments souvent trop sucrés, salés ou riches en gras qui peuvent être néfastes pour la santé.

Au contraire, on peut être vertueux dans son alimentation. La vertu alimentaire consiste à bien s'alimenter au quotidien, à opter pour des choix sains et santé, en plus d'avoir une alimentation équilibrée.

Les consommateurs ont en général des capacités limitées à se maîtriser, à garder le contrôle, ce qui les pousse parfois à voir les bénéfices immédiats reliés à la consommation d'un aliment plaisir plutôt que les conséquences négatives à long terme. L'indulgence est donc de mise.

L'obligation de payer uniquement en argent comptant peut freiner les pulsions à acheter des aliments plaisir et souvent moins bons pour la santé.

LES PAIEMENTS
PAR CARTE DE CRÉDIT, EN
REVANCHE, AFFAIBLISSENT
LE CONTRÔLE DE
NOS IMPULSIONS
ET, PAR CONSÉQUENT,
FAVORISENT L'ACHAT DE
CES ALIMENTS. LAISSEZ
LE PORTEFEUILLE À LA
MAISON ET N'APPORTEZ
QUE DES BILLETS !

L'indulgence permet de trouver un équilibre entre la proportion de nourriture saine et la proportion de nourriture moins saine dans notre assiette, ce qui s'avère bien plus efficace que de supprimer complètement la malbouffe ou les aliments jugés interdits de notre alimentation. Le forfait vice-vertu est une solution **simple** et **efficace** pour gérer son alimentation, en gardant toujours en vue **l'optique santé**, mais en incluant un autre critère : celui du **goût**. Selon des études, les consommateurs préfèrent choisir un aliment selon son goût plutôt que pour ses effets sur la santé. Cependant, ils n'hésitent pas à opter pour un aliment sain s'ils savent pertinemment que le goût est au rendez-vous.

On peut classer la population en trois catégories distinctes :

Les épicuriens
Les vertueux
Les équilibrés

LES ÉPICURIENS

Les épicuriens ont deux caractéristiques communes qui leur sont propres. Premièrement, ils perçoivent les aliments plaisir comme étant plus savoureux que les aliments sains, ce qui renforce le mythe suivant : savoureux ≠ santé. Deuxièmement, ils tentent de trouver un équilibre entre le goût et la santé, comme la majorité des gens, mais ils ont tendance à prioriser le plaisir lorsqu'ils ne peuvent pas consommer simultanément les deux catégories d'aliments. Donc, en l'absence de choix ou de variété, ils optent pour le plaisir plutôt que pour la santé, car ils croient qu'ils seront plus satisfaits.

LES VERTUEUX

Les vertueux ne voient pas les aliments plaisir comme étant plus savoureux que les aliments santé et, généralement, ils perçoivent même ces derniers comme étant plus agréables. Pour eux, l'aliment sain permet de rejoindre autant les critères de goût que les critères de santé. Ils n'éprouvent pas plus de plaisir gustatif lorsque des aliments plaisir leur sont proposés. L'équilibre goût-santé ne peut donc pas être chiffré pour les vertueux, puisqu'il est déjà à son paroxysme avec la consommation d'aliments sains.

Les vertueux ne ressentent pas non plus le besoin d'ajouter des aliments plaisir à leur alimentation. La seule raison qui les pousse à en consommer est la variété. De plus, la proportion consommée de ce type d'aliments est généralement faible et elle a peu d'impact sur leur santé. Ce sont des personnes qui savent s'arrêter. Les vertueux sont à la recherche des toutes dernières tendances du côté de l'alimentation : ils lisent les études et testent les nouveaux produits « santé », des graines de chia aux baies de Goji en passant par les superaliments. Naturellement, ils choisissent le fruit au lieu du chocolat.

LES ÉQUILIBRÉS

Au contraire des épicuriens, les équilibrés ont tendance à sélectionner la « santé » plutôt que le plaisir en l'absence de variété. Ils n'hésitent donc pas à opter pour la pomme plutôt que pour le chocolat.

À QUI RESSEMBLEZ-VOUS LE PLUS ?

Pour le découvrir, répondez le plus honnêtement possible aux questions suivantes :

- Je vous offre le choix entre une tablette de chocolat décadente ou une pomme bien juteuse. Quelle option préférez-vous ?

Option 1   **Option 2**

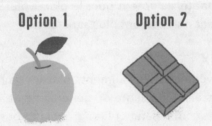

- Je vous offre toujours la possibilité de prendre la tablette de chocolat décadente ou la pomme, mais à cela s'ajoutent 3 autres options : le moitié/moitié, un carré de chocolat + les ¾ de la pomme ou une bouchée de la pomme + 3 carrés de chocolat. Que consommerez-vous ?

Option 1   Option 2   Option 3   Option 4   Option 5

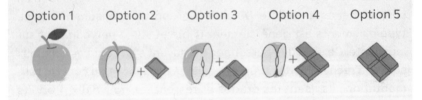

Si vous avez répondu la pomme à la première et à la deuxième question, vous êtes incontestablement un vertueux. Si vous avez préféré le chocolat à la pomme, vous êtes plutôt un épicurien, et si la pomme était votre premier choix en l'absence d'options, mais que vous avez succombé à un (ou deux) carré de chocolat, vous figurez parmi les équilibrés.

Selon les résultats d'une étude qui a recréé cette expérience :

- 22,4 % des individus choisiraient la pomme ;
- 22,4 % des individus choisiraient le carré de chocolat + les ¾ de la pomme ;
- 40,8 % des individus choisiraient deux carrés de chocolat + la moitié de la pomme ;
- 4,1 % des individus choisiraient la bouchée de la pomme + trois carrés de chocolat ;
- 10,2 % des individus choisiraient la tablette de chocolat décadente en entier.

Les options qui incluent la moitié de la tablette de chocolat et moins sont des choix intéressants qui offrent un bel équilibre entre le goût, la santé et le plaisir.

Il est important d'équilibrer son alimentation en balançant les aliments plaisir et les aliments sains, et l'un n'exclut pas l'autre selon notre perception du plaisir. Un simple changement dans le choix d'une collation, comme dans l'expérience dépeinte plus haut, peut conduire à des changements significatifs menant généralement vers des choix plus sains, et ce, pour un grand nombre d'individus qui autrement auraient choisi le plaisir. La simple présence d'un aliment plaisir aurait tendance à augmenter la perception d'appétence, soit le désir instinctif qui porte vers tout objet propre à satisfaire un penchant naturel, en particulier la nourriture. Cela incite les épicuriens et les équilibrés à choisir une collation qui inclut plus d'aliments sains que d'aliments plaisir.

En proposant des fractions, autant de chocolat que de pommes, on offre un choix beaucoup plus sain, notamment pour les individus qui baseraient leur choix sur le plaisir uniquement et qui choisiraient le chocolat, et uniquement le chocolat. Cette vision – ou ce nouveau paradigme – permet d'être pleinement **SATISFAIT**, sans se priver. De plus, cela permet généralement de manger davantage d'aliments considérés comme plus sains et meilleurs pour la santé sans même se poser de question. Le seul changement que cela vous demandera est d'avoir des options fractionnées et disponibles en tout temps et de vous demander par quels moyens vous pouvez satisfaire votre appétit ou votre envie pour un aliment plaisir en l'intégrant à 25 % ou à 50 % dans votre portion consommée. **Par exemple :**

AU CINÉMA

Je partage un format régulier de popcorn avec les enfants + j'apporte une portion de raisins. Si je préfère les jujubes, j'en mélange quelques-uns à des fruits séchés.

Dans un buffet à volonté : chaque fois que je remplis mon assiette, la moitié compte au minimum des légumes grillés, une salade ou des crudités.

AU BAR LAITIER

J'opte pour un banana split à partager ou pour un yogourt ou du tofu glacé fait à partir d'une portion de vrais fruits. Si j'ai envie d'une molle trempée dans le chocolat, j'opte tout simplement pour un plus petit format que celui que j'ai l'habitude de prendre et je savoure chaque bouchée.

LORS DU BRUNCH DOMINICAL

J'ajoute des légumes à mon omelette et je prépare une succulente salade de fruits que je servirai à mes convives en guise d'entrée, d'accompagnement ou comme dessert.

À LA CAFÉTÉRIA DE L'ÉCOLE OU DU BUREAU

Je regarde le menu à l'avance et je cible un ou deux desserts qui me plaisent. Lorsque ceux-ci sont disponibles, je les choisis ; autrement, j'opte pour un yogourt ou un fruit frais.

AU RESTAURANT

Seul, j'opte pour la salade la plupart du temps et pour les frites 1 fois sur 4 – pas pire hein ? Ça représente la fraction de 25 %, mais du point de vue de la fréquence et non de la quantité, ce qui revient pratiquement au même lorsqu'on considère l'équilibre alimentaire sur une plus longue période de temps. À deux, j'opte pour la salade et je suggère à l'autre de prendre le moitié salade/moitié frites, ce qui, au final, représentera également une portion de 25 % de frites lorsque l'on se séparera le tout ! TADAM. Si quelques frites suffisent à vous rassasier, piquez-en quelques-unes dans l'assiette de votre ami, collègue ou conjoint.

DANS LA BOÎTE À LUNCH

J'essaie d'équilibrer les accompagnements.

LORS D'UN VINS ET FROMAGES

J'équilibre ma consommation de pain, de raisins, de crudités et de fromage. Je me propose également pour apporter un plateau de crudités.

À L'ÉPICERIE

Je remplis à plus de 50 % mon panier de produits frais, dont des fruits et des légumes, même parfois ceux qui me sont inconnus. J'apprendrai à les cuisiner au cours de la semaine en visitant des blogues ou en bouquinant dans mes livres de recettes.

La plupart des individus auraient un point d'équilibre « goût/santé » qui leur permet de faire la part des choses lorsque vient le temps de choisir entre plusieurs options. Ce point d'équilibre varie d'une personne à l'autre selon son attirance pour les aliments plaisir ou les aliments sains.

SCHÉMA 1
LE PLAISIR ET LA SANTÉ,
SELON LE TYPE DE MANGEUR QUE VOUS ÊTES

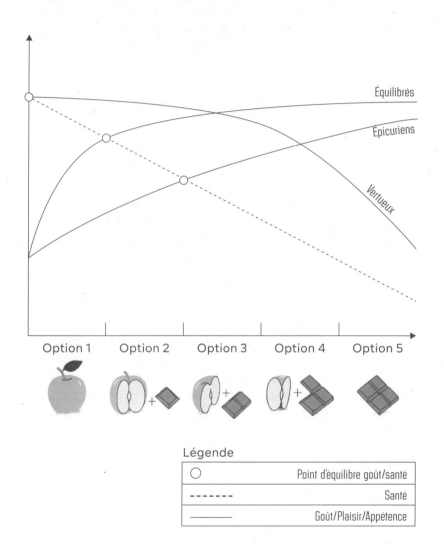

Équilibrés

Épicuriens

Vertueux

Option 1   Option 2   Option 3   Option 4   Option 5

Légende

○	Point d'équilibre goût/santé
- - - - - - -	Santé
⎯⎯⎯⎯	Goût/Plaisir/Appétence

Les épicuriens ont un point d'équilibre « Goût/Santé » qui se situe entre 25 % et 50 % d'inclusion d'aliments plaisir. Ils ne ressentent donc pas le besoin d'en consommer plus, car ils ont tout ce qu'ils recherchent : goût + santé + variété. Bien sûr, à l'occasion, ils préfèrent une collation 100 % plaisir qu'ils dégusteront tout en sachant que le critère « santé » n'est pas comblé, mais bon, *who cares* ?

Pour les équilibrés, le point d'équilibre « Goût/Santé » se situe autour de 25 % d'aliments plaisir. Ils connaissent les avantages d'une saine alimentation, mais recherchent également le plaisir et la variété, qu'ils atteignent en incluant un peu d'aliments plaisir dans leur alimentation, sans même se sentir coupables. Ce sont eux qui ont la cuillère ou la fourchette longue et qui étirent leur bras pour prendre une bouchée dans votre assiette au restaurant ! C'est aussi ce groupe qui sera satisfait au centre commercial quand la machine distributrice de jujubes ne leur donnera que 4 petits bonbons pour 0,25 $! Une fois leur envie comblée, les équilibrés passent rapidement à autre chose et ne ressentent pas le besoin d'en avoir plus.

Pour les vertueux, il en est autrement. Leur point d'équilibre « Goût/Santé » se situe directement sur l'axe de la santé puisqu'ils considèrent que les aliments sains sont aussi savoureux, sinon plus, que les aliments plaisir. Ils ne voient donc pas ces derniers comme une option intéressante, sauf dans les rares cas de déculpabilisation sociale. Toutefois, la culpabilité peut parfois poindre chez les gens appartenant à ce groupe, puisqu'ils ne savent pas trop comment atteindre l'équilibre entre les aliments plaisir et le reste de leur alimentation.

Tout le monde a une définition – ou une perception – différente de l'équilibre. C'est pourquoi on souhaite tendre vers une alimentation équilibrée, certes, mais on préfère encore plus qu'elle soit satisfaisante. Vive la **SATISFACTION** et non la modération ! Il ne faut donc pas juger ceux et celles qui optent pour davantage de biscuits, de friandises ou de frites. Soyez empathique et faites preuve d'intelligence émotionnelle. D'un point de vue général, tout individu gagne à équilibrer son alimentation de la façon dépeinte précédemment et à bien comprendre à quelle catégorie il appartient, car d'emblée, la proportion d'aliments plaisir sera moindre en présence d'un bel équilibre avec les aliments sains et, par conséquent, cela aura des répercussions positives en limitant les apports en gras, en sucre ajouté, en cholestérol alimentaire et en sodium.

Mais il n'y a pas seulement que la réduction de la part des aliments plaisir qui est garante de succès, car en optant pour des options où la proportion d'aliments plaisir est moindre, celle d'aliments sains est automatiquement plus grande. Ainsi, on augmente la consommation d'aliments plus sains et tous les bénéfices qui s'y rattachent : vitamines, minéraux, fibres, sucres naturels, antioxydants, etc. Alors, pour répondre à la question : « Des aliments plaisir pour collation, ça se peut ? » La réponse est : « Oui, mais à une proportion qui respectera votre point d'équilibre goût/santé ! »

Le concept de forfait vice-vertu est très important puisqu'il permet une liberté de choix, ce qui peut éviter d'éventuelles frustrations. Lorsque sondés à ce sujet, la majorité des consommateurs sont en faveur de l'introduction d'aliments plaisir dans leur alimentation. En choisissant des options qui comportent entre 25 % et 50 % d'aliments plaisir, les épicuriens et les équilibrés satisfont leurs critères de goût et de santé. Certes, les vertueux, pour lesquels les aliments sains sont aussi bons au goût et même meilleurs que les aliments plaisir, ne sont que très peu touchés par ce concept, mais à long terme, il est garant de succès, puisque les vertueux seront un jour ou l'autre confrontés à certaines situations où ils devront effectuer des choix comme lors d'une fête, d'un voyage ou d'une soirée au restaurant. Eux aussi sont à la recherche de la variété. Dans ces circonstances, il est fort probable qu'ils accueillent positivement l'inclusion d'aliments plaisir occasionnellement à leur alimentation (ils opteront souvent pour l'option 25 %), tout en gardant une grande proportion d'aliments plus sains dans leur assiette.

TOUS LES ALIMENTS NE FONT PAS L'UNANIMITÉ

Bien que tous les aliments soient permis, nous avons vu que la fréquence à laquelle certains d'entre eux sont consommés est la clé dans l'atteinte de l'équilibre alimentaire. Chaque aliment a sa place et il en revient à nous de juger quand le consommer dans notre quête de plaisir.

Des chercheurs ont demandé à des individus d'identifier leur perception du caractère « santé » d'un aliment sur une échelle de 1 à 9 (1 = santé et 9 = malsain), puis de situer le niveau d'impulsivité à acheter le produit sur un continuum de 1 à 9 (1 = achat planifié et 9 = achat impulsif). Par la suite, un index de « vice » a été créé en multipliant les scores. Les aliments avec des valeurs supérieures à un écart-type étaient jugés comme de véritables aliments plaisir alors que ceux dont le score était négatif représentaient plutôt des choix « santé » et dont l'envie est moins irrépressible que pour les aliments plaisir.

Sans grande surprise, les friandises, les bonbons, les beignes et les croustilles trônent au sommet des aliments dont le score d'impulsivité est le plus élevé. C'est donc vers ces aliments qu'on a tendance à se tourner quand on n'est pas organisé ou lors d'une dérive alimentaire. Ils sont aussi déjà préparés et prêts à manger, ce qui les rend très attrayants, surtout lorsque le temps nous manque. Certaines stratégies, comme le *meal prepping* – ou l'art de préparer tous ses aliments –, permettent de contrer l'impulsivité de vouloir à tout prix manger un aliment qui comblera rapidement la faim en présentant des options saines et apprêtées à la maison. Le *meal prepping* augmente la praticité et l'accès rapide à des options savoureuses et appréciées.

TABLEAU 9
ALIMENTS ET IMPULSIVITÉ

ALIMENTS	Score « N'est pas santé... »	Score d'impulsivité	Index de « vice »
GOMME/GUIMAUVE/FRIANDISE	7.98	8.24	2.52
BONBON/BISCUIT/MAÏS SOUFFLÉ	7.90	8.00	2.37
GOMME À MÂCHER	7.56	8.16	2.28
BEIGNE	8.12	7.59	2.27

ALIMENTS	Score « N'est pas santé... »	Score d'impulsivité	Index de « vice »
SANDWICH À LA CRÈME GLACÉE/SUCETTE GLACÉE/ FUDGE/BARRE AUX FRUITS	7,85	7,84	2,27
GÂTEAU AU FROMAGE/PAIN AUX BANANES/TARTE	7,78	7,51	2,08
CROUSTILLES/CROUSTILLES DE MAÏS/BRETZELS	7,73	7,46	2,03
BISCUIT	7,34	7,35	1,81
POUDING RÉFRIGÉRÉ	7,51	6,86	1,66
GÂTEAU	7,56	6,65	1,58
CRÈME GLACÉE	7,41	6,76	1,57
POUDING ET AUTRES DESSERTS	6,68	7,32	1,50
BOISSON GAZEUSE	7,44	6,51	1,47
PIZZA/BURRITOS/BÂTONNETS DE FROMAGE	7,90	6,11	1,46
SNACK ACHETÉ DANS LES CAFÉS	6,12	7,22	1,22
PÂTISSERIE	6,66	6,51	1,17
MUFFIN	6,51	6,57	1,13
PIZZA	6,76	6,24	1,10
CAFÉ OU THÉ EMBOUTEILLÉ/ BOISSON ÉNERGISANTE/ BOISSON CHOCOLATÉE	6,46	6,46	1,07
PLAT CONGELÉ/RAMEN	7,61	5,46	1,06
RAISINS	1,98	3,81	-1,00
BANANE	1,83	3,81	-1,03

ALIMENTS	Score « N'est pas santé... »	Score d'impulsivité	Index de « vice »
POIVRON	2.17	3.19	-1.03
POMME	1.71	4.03	-1.04
TOMATE	1.93	3.19	-1.08
OIGNON	2.46	2.49	-1.08
CHAMPIGNON	2.07	2.86	-1.09
ALIMENT POUR BÉBÉ	2.90	1.97	-1.11
SALADE	1.95	2.92	-1.11
CAROTTE	1.78	3.14	-1.11
LÉGUMINEUSES/ORGE/RIZ	2.88	1.84	-1.13
LÉGUME	2.02	2.16	-1.19

Dans cette optique, repensons plutôt notre consommation d'aliments selon le concept de continuum de fréquence et de valeur nutritive. Une alimentation saine sera composée d'une variété d'aliments de valeur nutritive allant de faible à élevée et consommés de façon exceptionnelle, occasionnelle ou quotidienne. Certes, il y aura parfois des bons et des moins bons aliments au cours d'un même repas, d'une même journée ou d'un même mois.

Rappelez-vous qu'afin de bien jauger son alimentation, il faut le faire sur plusieurs jours, voire plusieurs semaines, sinon, vous n'aurez pas le recul nécessaire pour être en mesure de bien l'évaluer. L'équilibre de l'alimentation est une affaire de qualité et de quantité. Elle consiste à manger majoritairement des aliments nourrissants, et moins souvent des aliments de faible valeur nutritive, fréquemment ceux qu'on choisit sous le coup de l'impulsion. On ne peut pas évaluer correctement l'alimentation en analysant seulement un aliment présent sur un menu ni même un seul repas. Par exemple, votre repas ou votre journée ne sont pas gâchés en raison d'un morceau de brownies servi en dessert.

SCHÉMA 2
FRÉQUENCE DE CONSOMMATION DES ALIMENTS

Valeur nutritive **FAIBLE**

Valeur nutritive **ÉLEVÉE**

ALIMENTS D'EXCEPTION

Aliments à faible valeur nutritive, consommés de façon exceptionnelle **(1 à 2 fois par mois)**.

ALIMENTS D'OCCASION

Aliments à valeur nutritive moyenne, consommés de façon occasionnelle **(1 à 2 fois par semaine)**.

ALIMENTS QUOTIDIENS

Aliments à haute valeur nutritive et consommés de façon quotidienne **(au moins 1 fois par jour)**.

Source : Adapté de : *Vision de la saine alimentation – Pour la création d'environnements alimentaires favorables à la santé*. Ministère de la Santé et des Services sociaux du Québec. Gouvernement du Québec. (disponible en ligne à http://publications.msss.gouv.qc.ca/msss/fichiers/2010/10-289-06F.pdf)

LE PLAISIR AILLEURS QUE DANS L'ASSIETTE

Dans l'acte alimentaire, le plaisir peut aussi s'exprimer de différentes manières. Bien qu'il englobe les aspects sensoriels et nutritifs, il ne faut surtout pas oublier le contexte de la consommation. Le plaisir ne se résume pas simplement au goût que procure un aliment ou bien au simple fait de le manger ; l'environnement dans lequel les aliments sont présentés sera un déterminant tout aussi important, sinon plus. **Le plaisir est une motivation de notre choix, mais également un partage.** En effet, manger seul est beaucoup moins plaisant – et apprécié – que manger accompagné.

Quelle situation est la plus plaisante selon vous ?

- Manger une pointe de tarte aux framboises seul devant la télévision.
- Manger une pointe de tarte aux framboises lors d'une fête, accompagné par ses proches.
- Manger une pointe de tarte aux framboises seul dans une pâtisserie.
- Manger une pointe de tarte aux framboises lors d'un voyage mémorable accompagné d'un être cher.

Ici, la pointe de tarte aux framboises est la même dans les quatre exemples, mais je suis persuadé que vous avez eu assez de facilité à imaginer les différentes variations de plaisir dans les exemples. Pour moi, le fait de manger une tarte aux framboises lors d'un voyage mémorable accompagné d'un être cher est beaucoup plus plaisant que de la manger seul dans mon salon. En plus d'être plus l'*fun*, il s'agit là d'un souvenir qui ne tombera peut-être pas dans l'oubli.

Manger permet de connecter les gens entre eux. Le plaisir est donc rattaché à la notion de lien et de partage. C'est ce qu'on appelle la socialisation alimentaire. Il est également possible de décrypter le plaisir de l'autre et de se l'approprier. C'est ce qui fait qu'un repas partagé au restaurant sera une source immense de plaisir. En effet, on parle souvent plus de l'atmosphère du restaurant et de l'expérience que des plats eux-mêmes pour exprimer le plaisir alimentaire. Au restaurant, tout est permis ! On ne se gêne pas pour commander des mets d'exception ou pour prendre un petit dessert même si l'appétit n'est plus au rendez-vous depuis la deuxième bouchée du plat principal ! Manger entouré, c'est aussi se vouer à la découverte via des processus d'imitation poussés parfois par ce que l'on appelle la pression normative. C'est ce qui incitera quelqu'un qui a un dédain de la pieuvre, comme moi, à y goûter !

Bref, le plaisir de manger n'est pas systématiquement associé au goût des aliments. On peut également avoir plus de plaisir à consommer un repas lorsqu'on a pris part à sa préparation. Il y a une forme réelle d'accomplissement à préparer les repas et cela contribue fortement aux différents aspects du plaisir. C'est pourquoi je vous invite à remercier et à complimenter ceux qui ont cuisiné pour vous. Le cuistot s'appropriera également votre plaisir, ce qui contribue aux émotions procurées par la convivialité autour du repas.

Comment développe-t-on de meilleures habitudes de consommation ?

LES GENS DÉVELOPPENT DES HABITUDES DE CONSOMMATION LORSQU'ILS :

- mangent de façon répétée
  LE MÊME TYPE
  d'aliments de la même manière
  au cours d'un repas ; et

- mangent de façon répétée
  LA MÊME QUANTITÉ
  d'aliments de la même manière
  au cours d'un repas.

LES CHERCHEURS ESTIMENT QUE 45 % DE NOS OCCASIONS DE MANGER SONT GUIDÉES PAR NOS HABITUDES.

Conclusion
Le mot de la faim

Au cours des dernières décennies, notre relation avec la nourriture s'est détériorée. Nous ne savons même plus reconnaître le vrai du faux, et les *fake news* et les gros titres provocateurs des magazines n'y sont pas étrangers. La relation ALIMENTS = NUTRIMENTS = SANTÉ est encore la norme, alors que deux autres variables devraient plutôt être considérées : le plaisir responsable et le bien-être. Du coup, la relation devrait être **ALIMENTS = PLAISIR = BIEN-ÊTRE.**

Contrairement à la relation paternaliste du modèle ALIMENTS = NUTRIMENTS = SANTÉ, qui voue un culte aux nutriments, qui voit ceux-ci comme étant des alicaments (troncation des mots aliments + médicaments) en plus de tendre vers la restriction, axer son alimentation sur le bien-être serait tout compte fait une meilleure approche globale. Bien que certains détracteurs considèrent cette approche comme étant holistique, elle est plus positive et orientée vers l'individu et ses propres comportements. En effet, *exit* les comportements compensatoires et culpabilisants comme *binger* dans une boîte de biscuits au chocolat sans gras tout en prétendant « couper dans les calories ». On comprend mieux que le plaisir a un rôle à jouer dans le bien-être. De plus, les individus qui optent pour des produits sans gras auraient tendance à consommer des quantités de 16 à 28 % plus élevées que s'ils se tournaient vers des produits réguliers, donc avec gras...

Par contre, il faut comprendre que le plaisir est intrinsèquement lié à la culpabilité. Le plaisir est souvent perçu comme étant quelque chose de transgressif, quelque chose qu'il faudrait parfois même réprimer. Mais le plaisir alimentaire s'apprend et peut être stratégiquement maîtrisé dans le but d'améliorer sa relation avec la nourriture. Le plaisir doit être parsemé de positif. Positiver son alimentation permet de se rapprocher du plaisir tout en s'éloignant de la culpabilité. Lorsqu'on « mange positif », on mange plus lentement, intentionnellement et délibérément afin de laisser toute la place au plaisir.

Depuis les années 1950, le message en nutrition a – presque – toujours été axé autour du credo suivant : « Mange ce qui est bon pour toi, mais pas nécessairement ce que tu aimes.» Ce message, porté par la grande prêtresse de la nutrition aux États-Unis, Adelle Davis, a longtemps été perçu comme la marche à suivre.

Toutefois, depuis le tournant des années 2010, un nouveau courant ou paradigme commence à prendre de l'ampleur, celui où le plaisir retrouve sa place centrale. La nouvelle mouture du *Guia alimentar para a população brasileira*, publié en 2014 au Brésil, a pavé la voie au qualitatif. On propose ainsi une nouvelle philosophie quant au « comment manger » plutôt que « quoi manger ». Fini, le nombre de portions ou encore les références à des limitations précises – entre vous et moi, est-ce que quelqu'un est réellement capable de reconnaître ce que représentent 1500 mg de sodium, l'apport nutritionnel de référence pour ce nutriment, et s'arrêter une fois la limite atteinte ? Impossible.

Parmi les 10 règles d'or du guide alimentaire pour la population brésilienne, deux sont savoureuses :

Développez, exercez et partagez vos habiletés culinaires.

Si vous avez des compétences culinaires, développez-les et partagez-les, spécialement avec les enfants. Si vous n'avez pas de compétences culinaires – les hommes comme les femmes –, acquérez-en. Parlez à des gens qui savent cuisiner et apprenez d'eux. Demandez à la famille, aux amis et collègues de vous fournir des recettes, des livres de cuisine, des références Web et éventuellement suivez des cours de cuisine. Commencez à cuisiner maintenant.

Planifiez votre temps de façon à donner à l'alimentation la place qu'elle mérite.

Planifiez vos courses et décidez des repas à l'avance. Partagez avec les membres de la famille la responsabilité liée à la préparation des repas. Faites de la préparation et de l'acte alimentaire des moments privilégiés de convivialité et de plaisir. Évaluez comment vous vivez pour vous donner le temps nécessaire.

ALIMENTER LE PLAISIR !

Il est peut-être temps d'instaurer un changement de paradigme complet dans le domaine de l'alimentation et de mettre l'accent sur le plaisir et tout le côté positif. La moralisation du plaisir n'a plus sa place, même en cette période où l'obésité frappe de plein fouet les populations occidentales et celles des pays en voie de développement. Certes, le plaisir a, depuis l'Antiquité, été associé à une certaine forme d'intempérance et à la gourmandise. La quête de plaisir peut sembler viscérale, mais au fil des ans, elle a été atténuée par l'imposition de règles alimentaires strictes et rigides, de modération et de contrôle externe qui ont dicté le « bon » et le « mauvais » dans l'alimentation.

Maintenant, on comprend mieux que le plaisir peut lui-même mener à une forme de modération en soi, mais surtout à un sentiment de bien-être et de satisfaction. Peut-être qu'une approche légèrement plus holistique doit s'intégrer à celle majoritairement scientifique prônée ici en Amérique du Nord. Pour positiver son alimentation, il faut miser sur des dimensions multisensorielles qui vont au-delà de la simple capacité gustative. Plusieurs aliments autrefois considérés comme vraiment aversifs ou même comme des irritants tels que le piment fort, le chocolat noir ou même le tofu montrent que la population a appris à apprécier ces aliments. Les aspects esthétiques devraient aussi être mis de l'avant puisqu'on mange également avec les yeux. Pensons simplement à la créativité des plus grands chefs de ce monde ou aux jolies et colorées boîtes Bento au Japon. Le plaisir de manger n'est pas l'ennemi de la santé, mais devrait plutôt être son plus grand allié.

Aimez-vous le chocolat ?

Oui, j'en mange de manière occasionnelle.

C'est-à-dire ?

Dès que l'occasion se présente !

Remerciements

Merci à toute l'équipe des Éditions La Semaine de m'accorder, une fois de plus, toute sa confiance. Vos sourires sont contagieux et rendent mes visites à vos bureaux toujours des plus agréables. Un merci spécial à Isabel Tardif de croire en mes projets et de me donner autant de rétroactions positives. Merci à Julie Roy pour son aide à l'édition de ce livre. Le contenu n'en a été qu'amélioré. Merci à Judith Landry de chapeauter tous mes projets d'une main de maître. Merci à Nicolas Pellet de mettre de l'avant les auteurs et leurs projets sur le Web. Cela leur assure une belle visibilité. Merci à Frédérique Grenouillat et à Jacinthe Lemay pour tous les efforts déployés du côté marketing afin de faire de *Oui, tout est permis* un véritable succès.

Merci à la talentueuse Amélie Tourangeau d'avoir illustré le livre. Tes sublimes dessins rehaussent considérablement la beauté du livre et agrémentent sa lecture.

Merci à mon designer graphique, Antoine Goulet, qui me suit dans tous mes projets les plus fous. Toujours accompagné de stress et de délais serrés, Antoine manœuvre tel un vrai pro pour créer un produit de qualité, toujours visuellement impeccable.

Merci à Marjorie Labrecque, une nutritionniste en or, qui a participé à la rédaction de certains passages de ce livre. Ta rigueur et ton énergie ont été plus qu'appréciées.

Merci à Claudia Déry sans qui ma vie serait une course folle. Merci de m'accompagner dans mes projets, de gérer mon temps, de m'écouter et de brainstormer avec moi ! Efficace, énergique, souriante et créative ne sont que quelques-unes de tes plus belles qualités. Continue ainsi et tu accompliras de grandes choses.

Merci à toutes mes stagiaires qui ont collaboré de près ou de loin à ce livre. J'ai la chance de pouvoir compter sur de futures collègues débrouillardes, intelligentes et dynamiques.

Merci à ma famille (et à ma belle-famille) de me soutenir dans tous mes projets. Votre amour me donne des ailes.

Joignez-vous
à la communauté

  @Hub_Nutrition   Hubert Cormier
Nutritionniste

#OUITOUTESTPERMIS

Pour une conférence dynamique sur
le sujet qui gonflera votre motivation
à bloc, n'hésitez pas à m'écrire à
INFO@HUBERTCORMIER.COM ou bien à visiter
le HUBERTCORMIER.COM

Du même auteur :

Les conseils d'Hubert

NON COUPABLE
Libérez-vous de votre culpabilité alimentaire

LÉGUMINEUSES
&CIE

Ma table festive

À bas les kilos !
207 trucs de pro pour maigrir comme il faut

Suivez-nous sur le Web

Consultez nos sites Internet et inscrivez-vous à l'infolettre pour rester informé en tout temps de nos publications et de nos concours en ligne. Et croisez aussi vos auteurs préférés et notre équipe sur nos blogues!

EDITIONS-LASEMAINE.COM
EDITIONS-HOMME.COM
EDITIONS-JOUR.COM
EDITIONS-PETITHOMME.COM
EDITIONS-LAGRIFFE.COM
RECTOVERSO-EDITEUR.COM
QUEBEC-LIVRES.COM

RECYCLÉ
Papier fait à partir
de matériaux recyclés
FSC® C103567

Imprimé chez Marquis Imprimeur inc. sur du Rolland Enviro.
Ce papier contient 100% de fibres postconsommation,
est fabriqué avec un procédé sans chlore
et à partir d'énergie biogaz.
Il est certifié FSC®, Rainforest AllianceMC
et Garant des forêts intactesMC.